SHANGHAI
ARCHITECTURE & DESIGN

daab

Wenn man sagt, dass Shanghai eine Stadt der Gegensätze ist, so überrascht dies nicht im Falle einer Region, die mit Leichtigkeit den Übergang von der Pagode zum Einkaufszentrum vollzogen hat. Diese Megalopolis mit 14 Millionen Einwohnern, die größte Stadt des Landes und die bevölkerungsreichste der Welt, wurde durch die sozialen und kulturellen Ereignisse ihrer Geschichte zum Epizentrum der verschiedensten östlichen und westlichen Einflüsse. Sie ist das wirtschaftliche, finanzielle und industrielle Zentrum Chinas, was teilweise auf die strategische Lage am Ufer des Flusses Huangpu zurückzuführen ist. Sie ist die Eingangstür Asiens und die große, sagenhafte Stadt des Kontinents. Dies ist in ihren Straßen, in ihrer Skyline und in den so verschiedenartigen Gebäuden zu spüren, in denen sich Tradition, Design und Avantgarde mischen, um eine eigene Sprache zu schaffen. Das Wirtschaftswachstum der letzten Jahrzehnte spiegelt sich in einer schwindelerregenden und einzigartigen Stadtentwicklung wider, wie es sie in der Geschichte der Architektur noch nicht gegeben hat. In nur 10 Jahren entwickelte die Stadt ein Ausmaß, für das New York 50 Jahre gebraucht hat. In diesem Buch stellen wir so verschiedenartige Gebäude vor wie das zukünftige, höchste Gebäude der Welt oder ein exotisches Heilbad mitten in der Stadt. Gezeigt wird das zeitgenössische Shanghai, der Hafen, in dem China sich selbst sucht und eine Vision für die Zukunft schafft.

To say that Shanghai is a city of contrasts will hardly raise an eyebrow in the case of an area of the planet that has leapt from the pagoda to the shopping mall with such ease. However, this vast metropolis of 14 million inhabitants, the biggest city in the world's most heavily populated country, has been converted by the social and cultural events that have marked its history into the epicenter of a wide array of Western and Oriental influences. Shanghai is China's economic, financial and industrial center, partly due to its strategic situation on the banks of the Huangpu River, which has ensured its status as a mythical city and gateway to Asia. The diversity of influences can be seen on its streets, in the silhouettes of its buildings and in their interiors, where tradition, design and contemporary trends mingle to create a distinctive language. The city's economic growth in recent decades is reflected in a dizzying urban development without precedents in the history of architecture: in a mere 10 years, Shanghai has acquired a skylight comparable with that of New York, which was built over the course of more than 50 years. From the project for the world's highest building to a strikingly exotic wellness center in the heart of the city, the visual tour over the following pages seeks to present the image of a contemporary Shanghai, a port in which China is searching for itself in order to launch itself into the future.

Decir que Shanghai es una ciudad de contrastes no sorprende mucho cuando se habla de una región del planeta que ha pasado de la pagoda al centro comercial con tanta facilidad. Sin embargo, los acontecimientos sociales y culturales habidos a lo largo de su historia han convertido a esta megalópolis de 14 millones de habitantes, la ciudad más grande del país más poblado del mundo, en el epicentro de las más diversas influencias orientales y occidentales. Es el centro económico, financiero e industrial de China y su situación estratégica a orillas del río Huangpu la ha consagrado como puerta de entrada a Asia y gran ciudad mítica. La encrucijada de culturas se percibe a lo largo de sus calles, en la silueta de sus edificios, en el interior de los más diversos locales en donde tradición, diseño y vanguardia se entremezclan para crear un lenguaje propio. El crecimiento económico de las últimas décadas se refleja en un desarrollo urbano vertiginoso y sin precedentes en la historia de la arquitectura, y en tan solo 10 años ha alcanzado un perfil urbano equivalente al que Nueva York tardó más de 50 años en adquirir. Desde el proyecto para el futuro edificio más alto del mundo hasta el más exótico balneario en el centro de la ciudad, el recorrido visual de las próximas páginas pretende mostrar la imagen de un Shanghai contemporáneo, puerto en el que China se busca a sí misma para proyectarse hacia el futuro.

Dire que Shanghai est une ville de contrastes ne surprend pas quand on parle d'une région de la planète qui est passée avec une facilité surprenante de l'ère des pagodes à celui des centres commerciaux. Cependant, dans cette mégapole de 14 millions d'habitants, les événements sociaux et culturels tout au long de son histoire ont fait d'elle l'épicentre des influences orientales et occidentales les plus diverses. Il s'agit du centre économique, financier et industriel de la Chine, tout d'abord grâce à sa situation aux bords du fleuve Huangpu. A partir de là, Shanghai est devenu la grande ville mythique et la porte d'entrée du continent asiatique. On ressent cette position de carrefour, lorsqu'on regarde la silhouette de ses bâtiments et lorsqu'on découvre l'intérieur de ces innombrables locaux, où tradition, design et avant-garde se mélangent pour créer un langage très personnel. La croissance économique que la ville a vécue ces dix dernières années passe à travers un développement urbain vertigineux et sans précédent dans l'histoire de l'architecture. En seulement 10 ans, le profil urbain de la ville a atteint celui que New York a mis 50 ans à construire. Les pages qui suivent nous découvre des projets aussi différents que celui de la tour qui sera la plus haute du monde ou encore celui de l'établissement thermal le plus exotique, nous montrent une ville contemporaine, port dans lequel la Chine se cherche pour pouvoir se projeter dans le futur.

Dire che Shanghai è una città di contrasti non sorprende molto quando si parla di una regione del pianeta che è passata con tanta facilità dalla pagoda al centro commerciale. Nel corso della storia, i grandi eventi socio-culturali hanno convertito questa megalopoli di 14 milioni di abitanti (la più grande del paese più popolato al mondo) nell'epicentro delle più svariate influenze sia orientali che occidentali. Negli anni è diventata il principale centro economico, finanziario e industriale della Cina, in parte grazie alla sua posizione strategica sulle rive del fiume Huangpu, che ha consacrato Shanghai come porta d'ingresso e città mitica dell'Asia. Per cogliere l'atmosfera di crocevia culturale che la pervade, basta passeggiare per le sue strade, dare un'occhiata al profilo dei suoi edifici e agli interni dei più svariati locali, dove la tradizione, il design, e l'avanguardia si mescolano per dar vita a un linguaggio tutto loro. La crescita economica degli ultimi decenni si rispecchia in uno sviluppo urbano vertiginoso senza precedenti nella storia dell'architettura, configurando per la città in soli 10 anni un profilo urbano equivalente a quello che New York ha impiegato più di 50 anni a costruire. Dal progetto per il futuro edificio più alto del mondo fino al più esotico stabilimento termale nel centro della città, il percorso visivo delle prossime pagine vuole mostrare l'immagine di una Shanghai contemporanea, porto dove la Cina cerca se stessa per proiettarsi verso il futuro.

Alan Chan Design Company
Whampoa Club | 2004
3 Zhong Shan Dong Yi Lu, Bund

Der Whampoa Club ist eine zeitgenössische Interpretation der traditionellen Teehäuser und Restaurants Shanghais. Gleichzeitig sollten flexible Räumlichkeiten für Gruppen und Besprechungen geschaffen werden. Die Gestaltung der Innenräume, in denen bis zu 200 Personen Platz finden, versucht ein luxuriöses Bild zu geben, in dem Elemente der Art déco, Glanz, Reflexe, Farben und dramatische Texturen zu finden sind.

The Whampoa Club is a contemporary interpretation of Shanghai's traditional tea houses and restaurants that also sought to create a flexible space capable of accommodating various groups and meetings. The design of its interior space, which can play host to up to 200 people, aims for a luxurious look through its use of Art Deco elements, gleaming reflections, strong colors and dramatic textures.

El Whampoa Club es una interpretación contemporánea de las tradicionales casas de té y restaurantes de Shanghai que pretende crear un espacio flexible para acoger diversos tipos de grupos y reuniones. El diseño del espacio interior, que puede albergar hasta 200 personas, busca crear una imagen de lujo incorporando elementos art déco, brillos, reflejos, colores y texturas dramáticas.

Le Whampoa Club est une interprétation contemporaine des maisons de thé et des restaurants traditionnels de Shanghai où on a eu l'idée de créer en plus un espace flexible qui accueille différents groupes et réunions. Le design de son espace intérieur, qui peut contenir jusqu'à 200 personnes, cherche à donner une image de luxe grâce aux éléments art déco, aux reflets brillants, aux couleurs et aux textures saisissantes.

Da una parte il Whampoa Club interpreta in maniera contemporanea le tradizionali case da tè e ristoranti di Shanghai, dall'altra vuole creare uno spazio flessibile che accolga diversi tipi di gruppi e di riunioni. L'arredamento degli interni, che dispongono di una capienza massima di 200 persone, ingloba elementi art deco, lucentezze, colori e tonalità di gran impatto, il tutto improntato ad un design lussuoso e sofisticato.

Architrave Design & Planning

Banyan Tree Spa | 2003
Level 3, The Westin Shanghai Bund Center, 88 Henan Central Road

Im dritten Stockwerk des emblematischen Gebäudes Bund an der traditionellen Seepromenade der Stadt befindet sich dieses Luxusbad, in dem traditionelle, chinesische Elemente auf eine postmoderne Sprache treffen. In dem 1000 Quadratmetern großem Bad taucht der Besucher in die Üppigkeit der Behandlungsräume ein, die die fünf chinesischen Elemente symbolisieren, Erde, Metall, Wasser, Holz und Feuer.

The third floor of a building on the popular Bund – the city's traditional waterfront promenade – is the setting for this luxurious wellness center, which aims to link traditional Chinese design with the language of postmodernism. Its 10,000-sq-ft surface area provides visitors with an array of opulent treatment rooms representing the five Chinese elements: earth, gold, water, wood and fire.

En la tercera planta de un edificio del popular Bund, el paseo marítimo tradicional de la ciudad, se encuentra este balneario de lujo que busca aunar en su diseño tradición china y lenguaje posmoderno. En sus 1.000 m² el visitante se sumerge en la opulencia de las habitaciones de tratamiento que representan los cinco elementos chinos: tierra, oro, agua, madera y fuego.

Au troisième étage du populaire Bund, sur la traditionnelle promenade du bord de mer de la ville, se trouve cet établissement thermal de luxe dont le design cherche à associer tradition chinoise et langage post-moderne. Dans ses 1000 mètres carrés, le visiteur peut se submerger dans l'opulence des espaces de traitement représentés par les cinq éléments chinois : la terre, l'or, l'eau, le bois et le feu.

Al terzo piano di uno stabile del popolare Bund, il famoso lungomare della città, si trova questo lussuoso centro benessere il cui design cerca di mettere insieme tradizione cinese e linguaggio post-moderno. Nei 1.000 metri quadri del complesso il visitatore si tuffa nell'opulenza delle stanze riservate ai vari trattamenti e che rappresentano i cinque tradizionali elementi cinesi: terra, oro, acqua, legno e fuoco.

Arte Charpentier et Associés
Shanghai Opera House | 1998
300 Renmin Dadao, Renmin People's Plaza

Die Oper von Shanghai befindet sich im Zentrum der Stadt und bietet in ihrem größten Saal Platz für 1800 Besucher. Ihre Architektur ist von der Symbolik und Kultur Chinas inspiriert. Der Grundriss des Gebäudes ist ein Quadrat, das die Welt darstellt. Das gebogene Dach symbolisiert den Himmel. Die großen Fenster, die die Struktur umgeben, ermöglichen die Integration der Vorhalle in den anliegenden Platz und bieten einen wundervollen Panoramablick über die Stadt.

The Shanghai Opera House, situated in the center of the city, has a seating capacity of 1,800 in its largest auditorium. Its design is inspired by Chinese symbolism and culture. The ground plan takes the form of a square, representing the world, while the roof symbolizes the sky. The large windows enshrouding the structure allow the foyer to be integrated into the adjoining square and offer panoramic views of the city.

La Ópera de Shanghai está ubicada en el centro de la ciudad, alberga hasta 1.800 espectadores en su sala más grande y su diseño está inspirado en la simbología y la cultura chinas. La planta cuadrada del edificio representa el mundo, y la cubierta en forma curva simboliza el cielo. Los amplios ventanales que envuelven la estructura permiten la integración del vestíbulo con la plaza contigua y hacen que sea posible disfrutar de la vista panorámica de la ciudad.

L'opéra de Shanghai se trouve dans le centre de la ville ; la salle la plus grande a une capacité de 1800 spectateurs ; c'est le symbolisme et la culture chinoise qui ont inspiré son design. Le bâtiment forme un carré qui représente le monde et la couverture incurvée symbolise le ciel. Les larges baies vitrées qui entourent la structure permettent au hall d'entrée d'intégrer la place à côté et d'apprécier la vue panoramique sur la ville.

Il disegno dell'Opera di Shanghai, situata in pieno centro della città, si ispira alla simbologia e alla cultura cinesi. L'edificio, la cui sala più grande può ospitare fino a 1.800 spettatori, presenta una pianta quadrata che simboleggia il mondo e una copertura a forma ricurva che raffigura il cielo. Gli ampi finestroni che avvolgono la struttura consentono l'integrazione dell'atrio con la piazza contigua e permettono di godere della vista panoramica della città.

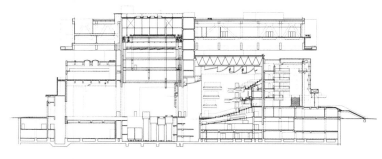

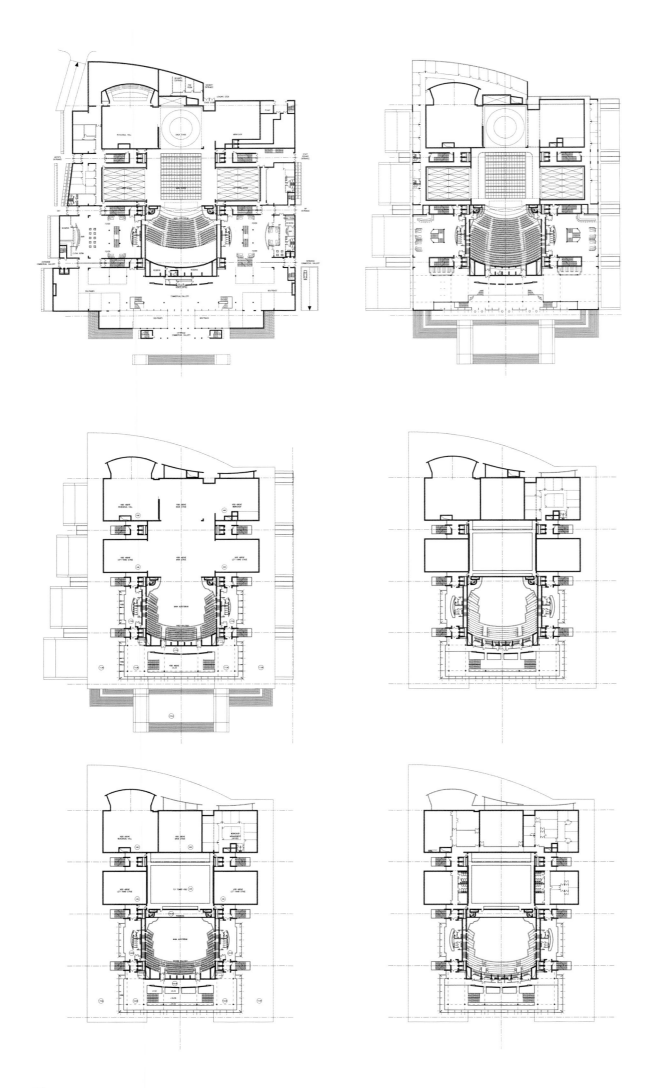

Bregman + Hamann Architects
CAAC Pudong Tower | 1999
18 Xin Jinqiao Road, Pudong

Dieses Hochhaus hat 38 Stockwerke und wurde für die zivile Luftfahrtbehörde von China entworfen. Es wirkt sehr schlank und ist in verschiedene, funktionelle Abschnitte verschiedener Höhen unterteilt, die das Gebäude stufenförmig aufgliedern. In den ersten 12 Stockwerken befindet sich ein Hotel, in den darüber liegenden neun Etagen Büroräume und in den letzten elf Stockwerken Wohnungen. Das Hochhaus ruht auf einem Untergeschoss, in dem die verschiedenen Zugänge und die große zentrale Empfangshalle des Hotels liegen.

This 38-floor tower, designed for the Civil Aviation Authority of China, has a slim profile made up of several functional sections of varying heights that form a series of terraces within a single volume. The first 12 stories are occupied by a hotel, the following 9 by offices and the top 11 by residences. The podium on which the tower is set is used for the different access points, as well as for the hotel's large central lobby.

Esta torre de 38 plantas, diseñada para la Autoridad de la Aviación Civil de China, tiene una esbelta imagen compuesta por diferentes partes funcionales con varias alturas que se van escalonando en un mismo volumen. Las primeras 12 plantas están destinadas a hotel, las siguientes 9 a oficinas y las últimas 11 a espacios residenciales. El podio sobre el que se asienta la torre acoge los diferentes accesos así como el gran vestíbulo del hotel.

Cette tour de 38 étages, conçue pour l'Autorité de l'Aviation Civile chinoise, a une image svelte composée de différentes parties fonctionnelles à différentes hauteurs qui montent en s'échelonnant dans un même volume. Les 12 premiers étages sont destinés à un hôtel, les 9 suivants à des bureaux et les 11 derniers à des espaces résidentiels. Le socle sur lequel s'assoit la tour est utilisé pour les différents accès tout comme le grand hall central de l'hôtel.

Questa torre di 38 piani, disegnata per l'Autorità dell'Aviazione Civile cinese, presenta un'immagine slanciata formata da varie parti funzionali, disposte a gradini su altezze diverse, che si susseguono progressivamente in uno stesso volume. I primi 12 piani sono riservati a un albergo, i successivi 9 ad uffici e gli ultimi 11 a locali residenziali. Il podio su cui poggia la torre viene utilizzato per i diversi accessi così come la grande hall centrale dell'hotel.

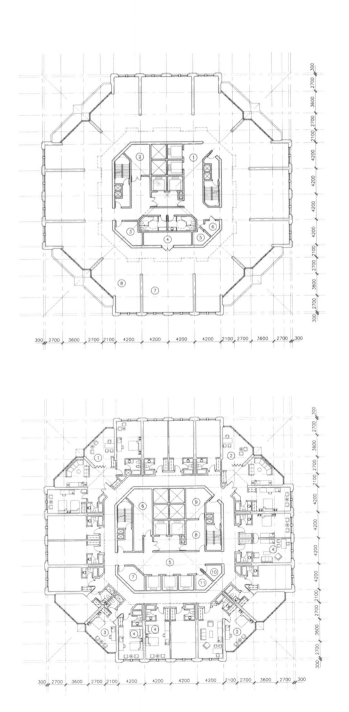

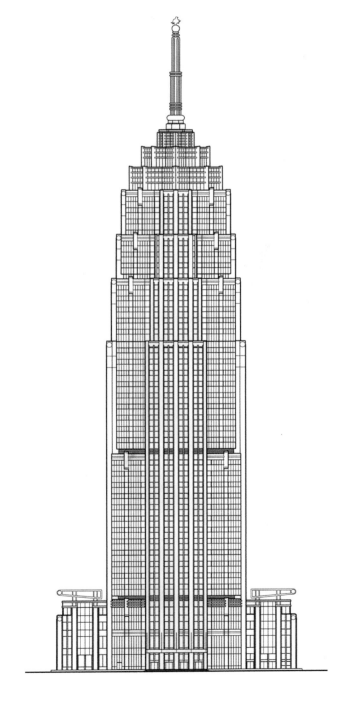

Bregman + Hamann Architects
Hong Kong New World Center | 2003
300 Huai Hai Road

Dieses Gebäude befindet sich im Herzen der Huai Hai Road, eine der beliebtesten Geschäftsstraßen in diesem Stadtviertel. Die Planung umfasste ein Fünf-Sterne-Hotel, Geschäfte, Wohnungen, Büroräume, Parkplätze und eine Vielzahl öffentlicher Räume. Das 58 Stockwerke hohe, schlanke Gebäude erhebt sich auf einem aus vier Stockwerken bestehenden Unterbau. Dadurch entstand eine Form, die die Skyline der Huai Hai Road fortsetzt.

This building is located in the heart of Huai Hai Road, one of the most popular shopping streets in this part of the city. The project includes a five-star hotel, stores, apartments, offices, parking lots and a wide range of public spaces. The four-story podium that serves as the base for the thin 58-floor tower serves to create a form that continues the urban configuration of Huai Hai Road.

Este edificio se encuentra en el corazón de Huai Hai Road, una de las calles comerciales más populares de esta zona de la ciudad. El proyecto incluye un hotel de cinco estrellas, comercios, apartamentos, oficinas, aparcamientos y una gran variedad de espacios públicos. El podio de cuatro plantas, sobre el que se asienta la esbelta torre de 58 pisos, sirve para crear un volumen acorde con el perfil urbano de Huai Hai Road.

Ce bâtiment se trouve au cœur de Huai Hai Road, une des rues commerçantes les plus populaires de cette zone de la ville. Le projet comprend un hôtel cinq étoiles, des commerces, des appartements, des bureaux, des parkings et une grande variété d'espaces publics. Le socle de quatre étages, sur lequel s'élève une tour svelte de 58 étages, sert à créer un volume qui s'intègre dans le profil urbain de Huai Hai Road.

Questo edificio si trova nel cuore di Huai Hai Road, una delle vie commerciali più popolari di questa zona della città. Il progetto include un hotel a cinque stelle, negozi, appartamenti, uffici, parcheggi e una grande varietà di spazi pubblici. Il podio di quattro piani, su cui poggia la torre slanciata di 58 piani, serve a creare un volume che continua il profilo urbano di Huai Hai Road.

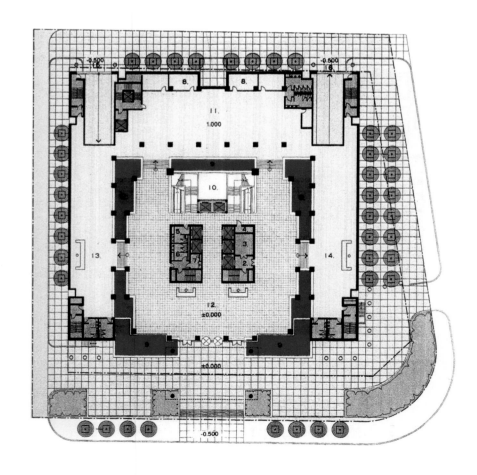

Bregman + Hamann Architects
New Shanghai International Tower | 1997
360 Pudong Road

Seit seiner Errichtung gilt dieses Gebäude als eine Referenz für das neue Stadtbild des Einkaufs- und Finanzbezirks Pudong. Der Unterbau aus grauem Granit dient als Basis für den 48 Stockwerke umfassenden, zentralen Körper, in dem Büroräume untergebracht sind. Dieser zentrale Gebäudeteil ist mit Stahlprofilen und grünem und silbernem Glas verkleidet. Im obersten Stockwerk befinden sich ein Restaurant mit Panoramablick und ein Heliport. Das Hochhaus ist so angelegt, dass es innen in den einzelnen Stockwerken keine Säulen gibt und die Räume sehr vielseitig gestaltet werden können.

Ever since this building was put up it has stood as a reference point in the new skyline of Pudong's commercial and financial district. A podium of gray granite serves as a base for the 48-story central body, given over to offices and clad with steel complemented by green and silvery glass, all topped by a heliport and a restaurant with an enclosed balcony. The tower is configured in such a way that all the floors are left free of interior columns to allow for a variety of layouts.

Desde su construcción este edificio se ha alzado como un referente del nuevo perfil de la zona comercial y financiera de Pudong. Un podio de granito gris sirve de base al cuerpo central de 48 plantas dedicado a oficinas y revestido de perfiles de acero y cristales verdes y plateados, rematado por un restaurante mirador y un helipuerto. La configuración de la torre, que deja las plantas libres de columnas interiores, permite una variedad de disposiciones del espacio.

Depuis sa construction, ce bâtiment est devenu la référence du nouveau profil de la zone commerciale et financière de Pudong. Un socle en granit gris sert de base au corps central de 48 étages. Le bâtiment, abritant des bureaux, est revêtu de plaques d'acier et de verre aux couleurs vertes et argentées et se termine par un restaurant panoramique et un héliport. La configuration de la tour, étudiée pour laisser les étages libres de colonnes intérieures, permet une grande variété d'aménagements intérieurs.

Sin dalla sua costruzione, questo edificio si è innalzato come un emblematico referente del nuovo skyline della zona commerciale e finanziaria di Pudong. Un podio in granito grigio serve da base al corpo centrale di 48 piani, destinato ad uffici e rivestito da profili in acciaio e vetri verdi e argentati, sovrastato da un ristorante panoramico e un eliporto. La configurazione della torre, che lascia i piani liberi da colonne interne, permette vari tipi di disposizioni per l'allestimento degli spazi.

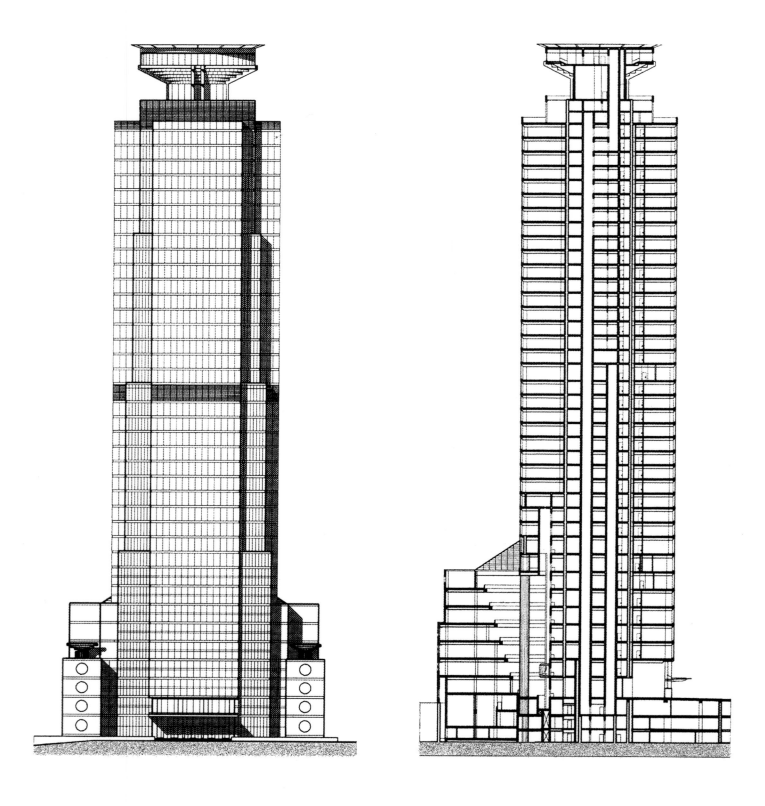

Bregman + Hamann Architects
Top of City Lights Shanghai | 2004
Wei Hai Road, Jinan District

Diese Eigentumswohnungen liegen an der Wei Hai Road, genau gegenüber des vor kurzem fertiggestellten Zentralparks im Zentrum von Shanghai. Diese privilegierte Lage und die hervorragenden zusätzlichen Anlagen machen diesen Wohnungskomplex zu einem attraktiven, ruhigen Wohnort mitten in der Stadt. Zwei künstliche Seen wurden bei den Gebäuden angelegt, die große Fenster auf die umgebende Landschaft haben.

This condominium of apartments stretches along Wei Hai Road, just in front of the recently completed central park, in the heart of Shanghai. This convenient location, along with the exhaustive service facilities, have made the complex a peaceful, privileged spot right in the center of the city. Two artificial lakes serve as the articulating elements of the overall layout of the buildings, which are fitted with large windows that allow residents to enjoy the views of the landscape.

Este complejo de apartamentos se extiende a lo largo de Wei Hai Road, justo enfrente del recién terminado parque central, en el centro de Shanghai. La conveniente localización, así como unas instalaciones de soporte muy completas, hacen que el conjunto se convierta en un lugar privilegiado y apacible en pleno centro urbano. Dos lagos artificiales son los elementos que articulan el plan general de los edificios, que cuentan con amplios ventanales para disfrutar del paisaje exterior.

Ce condominium d'appartements au cœur de Shanghai s'étend le long de Wei Hai Road, juste en face du parc central récemment terminé. Cette situation privilégiée, associant des installations de support très complètes, a permis à cet ensemble de devenir un lieu privilégié et paisible en plein centre urbain. Le plan général des bâtiments est articulé autour de deux lacs artificiels ; de larges baies vitrées permettent d'apprécier le paysage extérieur.

Questo complesso residenziale si estende lungo Wei Hai Road, nel centro di Shanghai, proprio di fronte al parco centrale, ultimato da poco. L'ottima posizione e la perfezione delle sue infrastrutture fanno di questo complesso di appartamenti un luogo privilegiato e tranquillo in pieno centro urbano. Due laghi artificiali sono gli elementi che articolano il piano generale degli edifici, dotati di ampi finestroni che consentono di godere del paesaggio esterno.

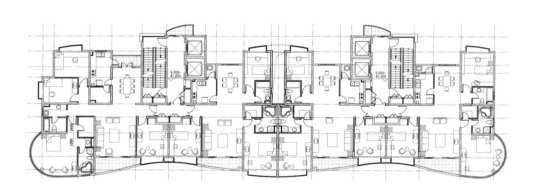

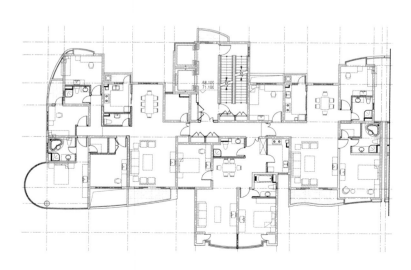

Callison Architecture
Bank of China Regional Headquarters | 1996
Huangpu, Pudong

Das Gebäude liegt in dem neuen Viertel Pudong und besteht aus einem Block mit 32 Stockwerken, in denen sowohl die Büroräume des Unternehmens als auch ein Konferenz- und Geschäftszentrum, Sporteinrichtungen und eine große Cafeteria für die Angestellten untergebracht sind. Die umliegenden Grünzonen wurden in das halbkreisförmige Gebäude so weit wie möglich miteinbezogen. Inmitten des starken Verkehrs in dieser Gegend wirkt der Bau dynamisch und dramatisch.

This building is located in the new district of Pudong and consists of a 32-floor block that houses not only the company offices but also a conference and business center, leisure facilities and a large cafeteria for staff members. The building's design, in the form of a half-circumference, takes full advantage of the lush surroundings and makes it stand out as a dynamic and dramatic beacon visible from the busy roads typical of this area.

Esta construcción se encuentra en el nuevo distrito de Pudong y consiste en un bloque de 32 plantas que incluye tanto las oficinas de la compañía como un centro de conferencias y de negocios, instalaciones de entretenimiento y una gran cafetería para los empleados. El diseño del edificio, en forma de media circunferencia, saca el mayor partido del entorno verde que lo circunda y se muestra como un volumen dinámico y dramático frente al intenso tráfico de la zona.

Le bâtiment se trouve dans le nouveau quartier de Pudong et forme un bloc de 32 étages. Il comprend les bureaux de la compagnie mais aussi un centre de conférences et d'affaires, des installations de loisirs et une grande cafétéria pour les employés. Le design du bâtiment, en demi-circonférence, a su tirer profit de l'environnement vert des alentours et constitue un volume dynamique et majestueux qui côtoie le trafic intense du secteur.

La struttura, sorta nel nuovo distretto di Pudong, è formata da un blocco multifunzionale di 32 piani che comprende sia gli uffici della compagnia che un centro per affari e convegni, dei locali per attività ludico-ricreative e una grande caffetteria per i dipendenti. Per il suo disegno, l'edificio, a forma di mezza circonferenza, sfrutta al massimo l'ambiente circostante, ricco di verde, e appare come un volume dinamico e di gran impatto dinanzi alla vista dell'intenso traffico della zona.

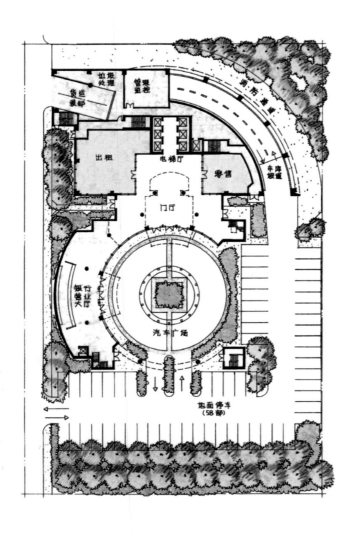

Callison Architecture
Grand Gateway | 2002
Xu Jia Hui

Dieser Komplex aus Wohnungen, Büroräumen und verschiedenen, öffentlich genutzten Räumlichkeiten befindet sich genau über der U-Bahnstation Xu Jia Hui, die größte der Stadt und wichtigster Umsteigebahnhof. Das Gebäude wurde in Form von Zwillingstürmen angelegt, die zur meistbefahrenen Straße des Viertels liegen. Sie wirken wie eine Art Eingangstür, dieser symbolhafte Charakter wurde bewusst gesucht. Ein großer Platz vor dem Gebäude unterstreicht diesen Eindruck noch.

This complex containing homes, stores, offices and various public spaces is situated just above the Xu Jia Hui subway station, the biggest in Shanghai, as well as its most important hub of transport connections. The configuration in the form of twin towers facing the area's biggest transit road symbolically defines the complex's general character as a gateway; a large square in front of the building emphasizes this idea.

Este complejo de viviendas, comercios, oficinas y espacios públicos se ubica justo encima de la estación de metro de Xu Jia Hui, la más grande de la ciudad y el más importante intercambiador de transporte. La configuración de los volúmenes a modo de torres gemelas orientadas hacia la vía de mayor tránsito de la zona definen el conjunto como una simbólica puerta. Una gran plaza situada delante del edificio contribuye a subrayar esta idea.

Cet ensemble de logements, de commerces, de bureaux et de différentes zones d'espace public se trouve juste au-dessus de la station de métro de Xu Jia hui, la plus grande de la ville et nœud d'interconnexion ferroviaire le plus important. Le volume, des tours jumelles, est orienté vers la principale voie de transit de la zone et confère de façon symbolique le rôle de porte à l'ensemble en général. Une grande place située face au bâtiment renforce ce caractère.

Questo complesso, che comprende abitazioni, locali commerciali, uffici e diverse zone adibite a spazi pubblici, sorge proprio sopra la stazione della metropolitana di Xu Jia Hui, la più grande della città e il più importante nodo di scambio. La configurazione del volume, a mo' di torri gemelle, ed orientato verso l'arteria più trafficata della zona, aiuta a concepire l'intero complesso come una simbolica porta d'ingresso. A rafforzare questa immagine contribuisce la grande piazza situata di fronte all'edificio.

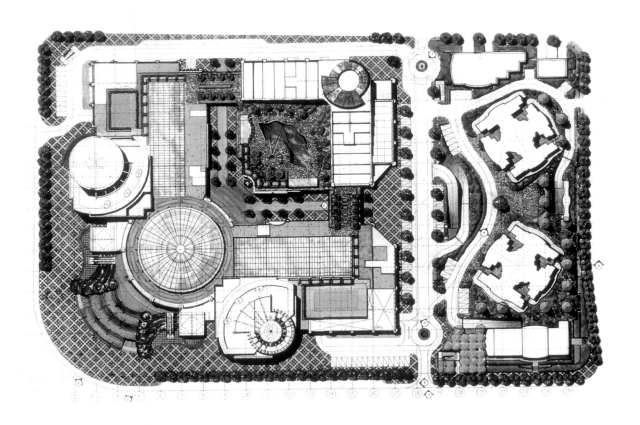

Callison Architecture
Nanjing Road East | 2005
Nanjing Road East

Das 21 Stockwerke hohe Gebäude, das verschiedenen Funktionen dient, verdankt seinen Namen der Straße, in der es steht. Es handelt sich um eine der wichtigsten Straßen im Zentrum von Shanghai. In dem siebenstöckigen Unterbau befinden sich Geschäftsräume, durch die die kommerziellen Aktivitäten der Nanjing Road verlängert werden. In den oberen Stockwerken sind Büroräume untergebracht, die mit den neusten Technologien ausgestattet sind.

This building's name refers to the street on which it is situated, one of the most important arteries in the center of Shanghai. This tower has 21 floors designed for a mixture of uses. A seven-story podium houses shopping premises, as a prolongation of the main activity on Nanjing Road, while the upper floors are devoted to offices fitted out with state-of-the-art technological equipment.

El nombre del edificio hace referencia a la calle en donde se encuentra ubicado, una de las arterias más importantes del centro de Shanghai; la torre contará con 21 plantas destinadas a uso mixto. Un podio de siete plantas albergará locales comerciales, como prolongación de la actividad urbana de Nanjing Road, mientras que en las plantas superiores se instalarán oficinas con las más avanzadas tecnologías.

Le nom du bâtiment fait référence à la rue où il se trouve, une des artères les plus importantes du centre de Shanghai et où se lèvera cette tour de 21 étages à usage mixte. Un socle de sept étages abritera des locaux commerciaux et s'intégrera dans le prolongement de l'activité urbaine de Nanjing Road, tandis qu'aux étages supérieurs, on envisage d'installer des bureaux aux technologies les plus avancées.

L'edificio porta lo stesso nome della strada che lo ospita, una delle arterie più importanti del centro di Shanghai. Qui verrà costruita questa torre di 21 piani adibita ad uso misto. Nel podio di sette piani troveranno posto dei locali commerciali, come prolungamento dell'attività urbana di Nanjing Road, mentre ai piani superiori si insedieranno uffici dotati di infrastrutture e impianti tecnologici di ultima generazione.

Dieses Heilbad befindet sich in der zweiten und dritten Etage des bekannten Gebäudes Three on the Bund im Zentrum der Stadt. Die Architekten hatten es sich zum Ziel gesetzt, die Reinheit, die die Marke Evian symbolisiert, umzusetzen und Konzepte wie Transparenz, Ruhe und Klarheit zu unterstreichen. Außerdem musste eine bereits existierende Vorhalle in die Planung miteinbezogen werden, die als eine Art virtueller Garten integriert wurde. Die Atomsphäre in den verschiedenen Räumen wird durch delikate Texturen an den Wänden und eine angenehme, indirekte Beleuchtung unterstrichen.

This wellness center is localized on the second and third floors of the well-known Three on the Bund building, in the heart of the city. The brief was to give concrete form to the purity suggested by the Evian brand and to emphasize concepts such as transparency, calm and cleanliness. The project also required the integration of the existing lobby, which has virtually been turned into a garden. The various spaces are endowed with different atmospheres, according to the delicate textures covering the walls and soft lighting.

Este balneario se localiza en las plantas segunda y tercera del popular edificio Three on the Bund, en el centro de la ciudad. El objetivo consistía en materializar la pureza que implica la marca Evian y enfatizar conceptos como transparencia, calma y limpieza. El proyecto preveía, además, la integración del vestíbulo existente, que se incorporó a modo de jardín virtual. La atmósfera de las diferentes estancias se logra a partir de delicadas texturas que recubren las paredes y una suave iluminación.

Cet établissement thermal se trouve aux deuxième et troisième étages du célèbre bâtiment Three on the Bund, au centre de la ville. L'objectif consistait à matérialiser la pureté qu'évoque la marque Evian et à mettre en valeur des concepts comme la transparence, le calme et la propreté. Le projet a d'autre part du incorporé le hall existant et l'a fait grâce à un jardin virtuel. L'ambiance des différents espaces a été effectuée à partir de délicates textures qui recouvrent les murs et aussi grâce à l'éclairage.

Questo stabilimento termale occupa il secondo e il terzo piano del popolare edificio Three on the Bund, nel centro della città. L'obiettivo consisteva nel materializzare la purezza evocata dal marchio Evian e sottolineare concetti quali la trasparenza, la calma e la pulizia. Il progetto prevedeva inoltre l'integrazione dell'atrio già esistente, inglobato come se si trattasse di un giardino virtuale. I vari ambienti assumono atmosfere diverse grazie alle delicate texture che rivestono le pareti e alla tenue illuminazione.

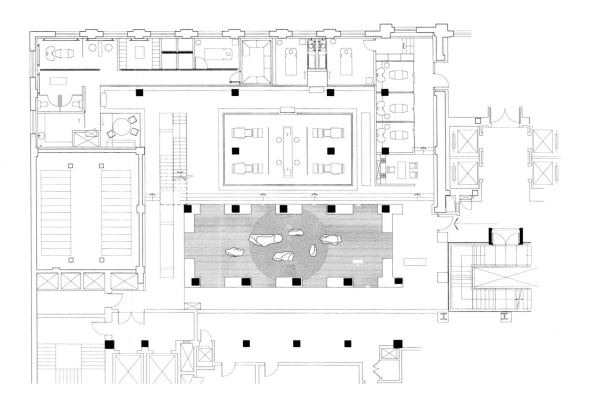

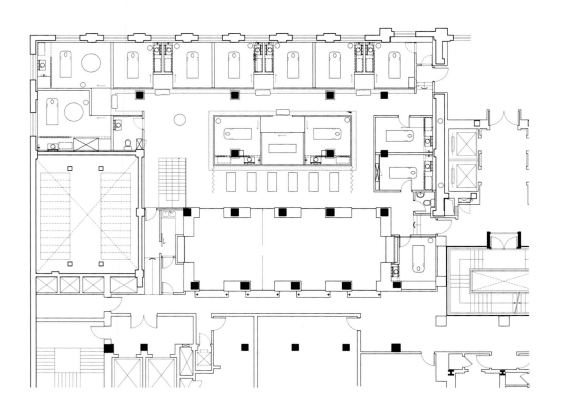

Foster and Partners

Jiushi Corporation Headquarters | 2000
Jiushi Fuxing Plaza, 918 Huaihai Zhong Road

Das Gebäude liegt in einer sehr privilegierten Zone der Stadt mit Blick auf das historische Gebäude Bund und den Fluss Huangpu, und den neuen Finanzdistrikt Pudong. Die Struktur des Gebäudes wurde so geplant, dass der Panoramablick zur Geltung kommt. Der zentrale Gebäudeteil aus Beton liegt etwas vom Fluss entfernt, hier wurden die Büroräume untergebracht. Das Gebäude ist dreifach mit Glas verkleidet, so dass die Räume eine gute Wärmeisolierung besitzen, aber gleichzeitig das Tageslicht so weit wie möglich ausgenutzt wird. In den oberen sechs Etagen des Gebäudes befindet sich ein Wintergarten.

This building occupies a prime piece of real estate, with views of the historic Bund, the Huangpu River and the new financial district of Pudong. These expansive panoramas dominate the structure, as the central concrete mass is set back from the river and the shore has been used to house the offices. Triple glazing was installed to insulate the interior, as well as to take full advantage of the natural light. A winter garden occupies the building's top six stories.

El edificio ocupa un solar privilegiado dentro de la ciudad con vistas al histórico Bund, al río Huangpu y al nuevo distrito financiero de Pudong. Estas amplias panorámicas dominan la estructura, cuyo cuerpo central de hormigón se ubica lejos del río y se aprovecha para situar las oficinas. Se empleó un triple revestimiento de cristal que aísla térmicamente el interior y aprovecha al máximo la iluminación natural. Un jardín de invierno ocupa las últimas seis plantas del edificio.

Le bâtiment occupe un terrain privilégié à l'intérieur de la ville, avec vue sur le vieux quartier historique Bund, sur le fleuve Huangpu et sur le nouveau quartier financier de Pudong. Ces très grands panoramiques dominent la structure, situant le corps central en béton éloigné du fleuve et profitant de ce côté pour y installer les bureaux. Un triple revêtement en verre a été utilisé, ce qui permet une isolation thermique intérieure tout en profitant au maximum de l'éclairage naturel. Un jardin d'hiver occupe les six derniers étages du bâtiment.

L'edificio occupa una zona privilegiata all'interno della città, con vedute allo storico Bund, al fiume Huangpu e al nuovo distretto finanziario di Pudong. L'ottima posizione panoramica è stata il punto di partenza per il disegno e la distribuzione della struttura. Infatti, sul lato che dà al fiume si è preferito situare gli uffici, facendo rientrare leggermente il corpo centrale in cemento rispetto a questo lato. È stato utilizzato un triplo rivestimento in vetro che isola termicamente l'interno e al contempo sfrutta pienamente l'illuminazione naturale. Un giardino d'inverno occupa gli ultimi sei piani dell'edificio.

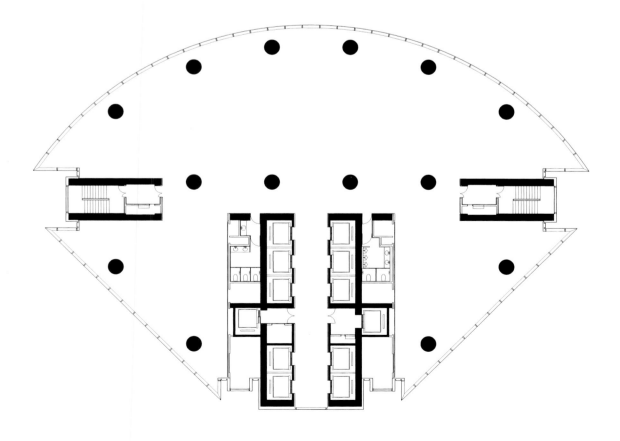

François Marcireau
La Fabrique | 2004
8-10 Jian Guo Zhong Road

Die größte Herausforderung bei diesem Bauvorhabens war es, drei Funktionen in einem einzigen Raum miteinander in Einklang zu brin-gen, und zwar eine Bar, ein Restaurant und einen Club. Durch die Gestaltung wollte der Architekt die Dualität ausdrücken, die die Stadt Shanghai in seinen Augen besitzt, nämlich die der Tradition und Modernität. Deshalb vermischte er an einem einzigen Ort verschiede-ne Stile, Materialien, Oberflächen und Möbel. Durch diese Vermischung entstand eine flexible Umgebung, in der dem Besucher eine Reihe von Alternativen und Orte geboten werden, in denen er sich aufhalten kann.

The main challenge in this project was to harmoniously combine three activities – those of the bar, restaurant and club – under the same roof. The design sought to reflect the duality with which the architect himself views the city, between tradition and modernity, mixing a variety of styles, materials, finishings and furniture. This mixture creates a flexible setting in which visitors can find a number of alternative spaces and nooks in which to settle.

El reto principal del proyecto era conjugar armónicamente las tres actividades –bar, restaurante y club– en un mismo espacio interior. El diseño busca reflejar la dualidad con la que el propio arquitecto percibe la ciudad, a medio camino entre tradición y modernidad, combinando en un mismo lugar una variedad de estilos, materiales, acabados y muebles. Esta mezcla crea un entorno flexible en el que el visitante encuentra una variedad de alternativas y rincones donde sentirse a gusto.

Le principal objectif du projet était celui de conjuguer de façon harmonieuse les trois activités, bar, restaurant et club, dans un même espace intérieur. Le design cherchait à refléter la dualité de la ville comme le perçoit l'architecte lui-même, à savoir tradition et moder-nité, et ce en mélangeant dans un même espace une variété de styles, de matériaux, de coloris et de meubles. Ce mélange crée un environnement flexible dans lequel le visiteur peut trouver une variété d'alternatives et de recoins où rester à son aise.

La sfida principale del progetto consisteva nel coniugare armonicamente le tre attività - bar, ristorante e club – in un unico spazio inter-no. Il disegno ha cercato di rispecchiare la dualità con cui lo stesso architetto percepisce la città, pertanto si è optato per degli inter-venti a cavallo tra la tradizione e la modernità, mescolando in un unico ambiente una varietà di stili, materiali, finiture e mobili. Questo miscuglio crea un ambiente flessibile dove il visitatore dispone di svariati angoli dove trovarsi a proprio agio.

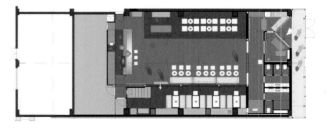

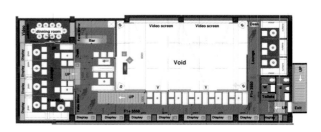

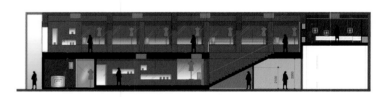

HMA Architects & Designers
The Bridge 8 | 2004
8 Jianguo Road Central

Für dieses Bauprojekt wurde eine Reihe von Industriegebäuden restauriert, in denen sich in den Sechzigerjahren Automobilwerke befanden. Man baute sie zu einem Atelier- und Studio-Komplex um. Ziel der Architekten, die sowohl die architektonischen Umbauten als auch die Gestaltung der Innenräume und öffentlich genutzter Anlagen planten, war es, einen klaren Kontrast zwischen den neuen und alten Elementen zu schaffen. Außerdem sollten vielseitige Außenanlagen gestaltet und alle Gebäude mit Brücken verbunden werden.

This project involved the refurbishment of a series of industrial buildings that had been used for the automobile industry in the 1960s in order to turn them into a complex of creative workshops. The architects, who were responsible for not only the new construction but also the interior design and the creation of public spaces, set out to establish a sharp contrast between the old and new elements, supply a wide variety of outdoor spaces and connect all the buildings by means of bridges.

El proyecto consiste en la recuperación de una serie de naves industriales que fueron utilizadas durante la década de 1960 para la industria automotriz, y su adaptación a un complejo de talleres creativos. El objetivo de los arquitectos, que se ocuparon tanto del proyecto arquitectónico como del de interiorismo y de los espacios públicos, era crear un claro contraste entre elementos nuevos y antiguos, generar una gran variedad de espacios exteriores y conectar todos los edificios por medio de puentes.

Le projet doit récupérer une série de bâtiments industriels, qui pendant la décennie des années 60 ont été utilisés pour l'industrie automotrice et les adapter à un complexe d'ateliers créatifs. Les prémisses de design de la part des architectes, qui ont conçu aussi bien le projet d'architecture que l'aménagement intérieur et les espaces publics, consistaient à créer un net contraste entre éléments nouveaux et anciens, imaginer une grande variété d'espaces extérieurs et unir tous les bâtiments par des ponts.

Il progetto consiste nel recupero di una serie di capannoni industriali, utilizzati nel corso degli anni 60' per l'industria automotrice, e nel loro adattamento per dar vita a un complesso di laboratori creativi. Gli architetti si sono occupati sia della parte progettuale che dell'arredamento e l'allestimento degli spazi pubblici, partendo dall'idea di creare un netto contrasto tra gli elementi vecchi e nuovi, generare una grande varietà di spazi esterni e collegare tutti gli edifici mediante dei ponti.

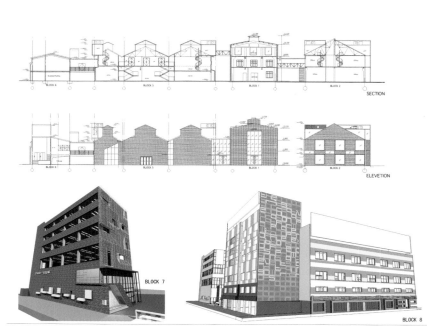

SECTION

ELEVETION

BLOCK 7

BLOCK 8

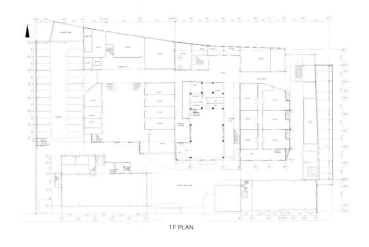

1F PLAN

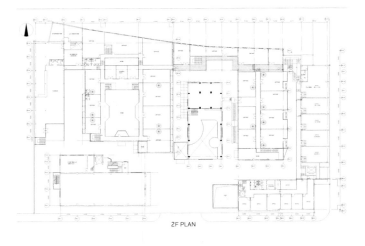

2F PLAN

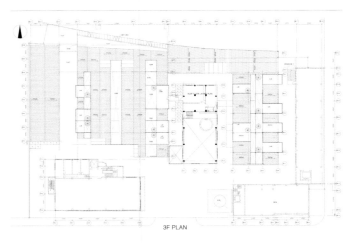

3F PLAN

Infix Design
ARK | 2001
House 15 North Block, 181 Xintiandi Lane, Tai Cang Road

Ausgangspunkt der Planung war es, ein Lokal für Livemusik zu schaffen. So entstand dieser Club im historischen Teil von Xintiandi. Die Gestalter wollten neutrale Räume schaffen, in denen verschiedene Arten von Vorstellungen und Inszenierungen die Atmosphäre des Raumes mit ihrem eigenen Charakter prägen können. Die ursprünglichen Gebäudeteile aus Ziegelstein wurde so weit wie möglich erhalten, so dass die Räume auf eine gewisse Art nostalgisch wirken.

A stage for live music was the starting point for the evolution of this club, which is located in the historic quarter of Xintiandi. The overall design concept focused on the creation of a neutral space in which the various performances, and their scenic requirements, were responsible for establishing the venue's particular characteristics. The original brickwork was preserved to obtain an interior that evokes a certain degree of nostalgia.

Un escenario para música en vivo es el punto de partida para desarrollar este club ubicado en el casco antiguo de Xintiandi. La idea general fue crear un espacio neutro donde fueran las diferentes presentaciones y sus puestas en escena las encargadas de configurar el carácter del local. Se conservó la construcción original de ladrillo con la idea de que el interior evoque cierta nostalgia.

Une scène pour jouer de la musique en direct est le point de départ pour la conception de ce club qui se trouve dans le vieux quartier de Xintiandi. Le concept de design part de l'idée originale de créer un espace neutre où les différentes représentations et leurs mises en scène seront chargées de donner au local son propre caractère. On a voulu conserver le style de la construction originale en brique afin que l'espace intérieur dégage une certaine nostalgie.

Uno scenario per esibizioni dal vivo è il punto di partenza per realizzare questo club, insediatosi nel quartiere storico di Xintiandi. Si è partiti dall'idea generale di creare uno spazio neutro che assuma caratteristiche proprie a seconda degli spettacoli, dei concerti che vi si tengono e delle loro messe in scena. La costruzione originale in mattoni è stata mantenuta, ottenendo così degli interni che evocano una certa nostalgia.

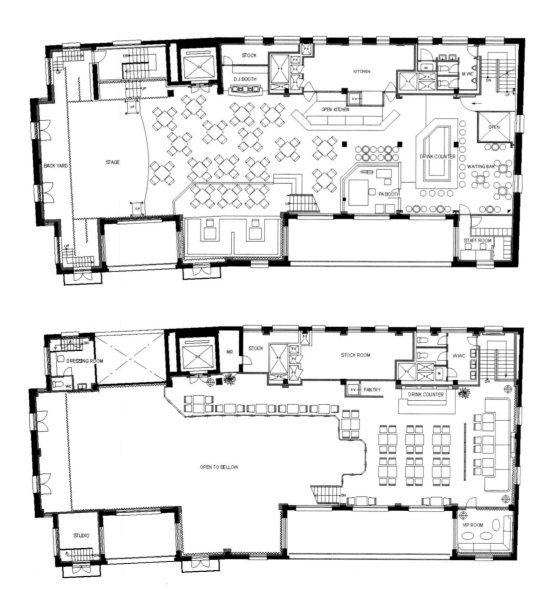

Intentionallies
Wa!! | 2004
Aurum Bell Plazza No. 98, Huaihai Zhong Road

Die Gestaltung dieses japanischen Einkaufszentrums, das vor kurzem in Shanghai eröffnet wurde, vereint in seiner Architektur den klassisch japanischen Geist des Unternehmens mit der Dynamik und Betriebsamkeit der Stadt Shanghai der letzten Jahrzehnte. Dieses Bauprojekt ist als eine Fusion beider Kulturen zu verstehen. Eine auffallende, vierstöckige Vorhalle ist das Element, das den Komplex gliedert. Jedes Unternehmen verfügt über Räumlichkeiten, die von jeweiligen, eigenen Designerteam gestaltet wurden.

The design for this Japanese department store, recently opened in Shanghai, aimed for an architectural language that marries the company's classical Japanese spirit with the dynamism and effervescence that has characterized Shanghai, especially in recent decades. The project was therefore treated as a fusion of both cultures. A spectacular lobby, four stories high, serves to articulate the complex, in which each firm represented in the store boasts a space specially designed by its own creative team.

El diseño de este centro comercial japonés, recientemente instalado en Shanghai, pretende conjugar en un mismo lenguaje arquitectónico el espíritu japonés clásico de la firma con el dinamismo y la efervescencia que caracterizan a Shanghai, especialmente en las últimas décadas. El proyecto plantea, por lo tanto, una fusión entre ambas culturas. Un espectacular vestíbulo de cuatro plantas de altura vertebra el conjunto, allí cada firma cuenta con un espacio proyectado por su propio equipo de diseño.

Récemment installé à Shanghai, le design de ce grand magasin japonais divisé par départements prétend réunir dans un même langage architectonique l'esprit classique japonais de la firme au dynamisme et à l'effervescence qui caractérise la ville chinoise, tout particulièrement ces dix dernières années. Le projet a donc été conçu comme une fusion des deux cultures. Un hall spectaculaire sur quatre étages constitue l'élément qui articule l'ensemble et dans lequel chaque firme possède un espace imaginé par sa propre équipe de design.

Il disegno di questo multistore giapponese, insediatosi di recente a Shanghai, aspira a riunire in un unico linguaggio architettonico, lo spirito classico giapponese dell'azienda con il dinamismo e l'effervescenza che hanno caratterizzato la metropoli, soprattutto negli ultimi decenni. Per questo il progetto si propone come una fusione di entrambe le culture. Uno spettacolare atrio, alto quattro piani, è l'elemento attorno cui si articola tutto lo stabile, dove ogni marchio dispone di uno spazio disegnato dalla propria equipe di designer.

John Portman & Associates
Bund Center | 2003
18 Floor Bund Center, 222 Yan An Road East

Das charakteristischste Element dieses Gebäudes, das seit seiner Errichtung ein unverwechselbarer Bestandteil des Stadtbildes ist, ist der von einer Lotusblüte inspirierte Abschluss, für die Chinesen ein Symbol des Wohlstands. Diese Krone, die sich nachts in Straßenbeleuchtung verwandelt, ist eine Hommage an das Wachstum der Stadt. Das Gebäude dient zahlreichen Funktionen, es gibt Wohnungen, ein Hotel, Büroräume, eine Einkaufszone und ein Tagungszentrum.

The most significant feature of this building, which immediately became an integral part of Shanghai's unmistakable skyline, is its top inspired by the lotus flower − a symbol of prosperity for the Chinese. This crown, which becomes an urban lighthouse at night, celebrates the growth of the city. The building was designed to be multi-purpose, as it includes homes, a hotel, offices, a shopping zone and a congress center.

El rasgo más significativo de este edificio, que desde su construcción forma parte del inconfundible perfil de la ciudad, es su remate inspirado en la flor de loto, símbolo de la prosperidad en la cultura china. Esta corona, que durante la noche se convierte en un faro urbano, celebra el crecimiento de la ciudad. El proyecto incorpora un programa múltiple en el que se incluyen viviendas, un hotel, oficinas, una zona comercial y un centro de convenciones.

Depuis sa construction, ce bâtiment fait partie du profil caractéristique de la ville ; sa couverture qui s'inspire de la fleur de lotus, symbole pour les Chinois de la prospérité, en est le trait le plus significatif. Cette couronne, qui dans la nuit devient un phare urbain, symbolise la croissance de la ville. Le projet comprend un programme multiple dans lequel on trouve des logements, un hôtel, des bureaux, une zone commerciale et un centre de conventions.

La caratteristica più significativa di questo edificio, che sin dalla sua costruzione fa parte dell'inconfondibile profilo della città, è il suo coronamento ispirato al fiore di loto, simbolo di prosperità per i cinesi. Questa corona, che di notte si trasforma in un faro urbano, celebra la crescita e lo sviluppo della città. Il progetto comprende un programma multiplo nel quale trovano spazio abitazioni, un hotel, degli uffici, una zona commerciale e un centro per convegni.

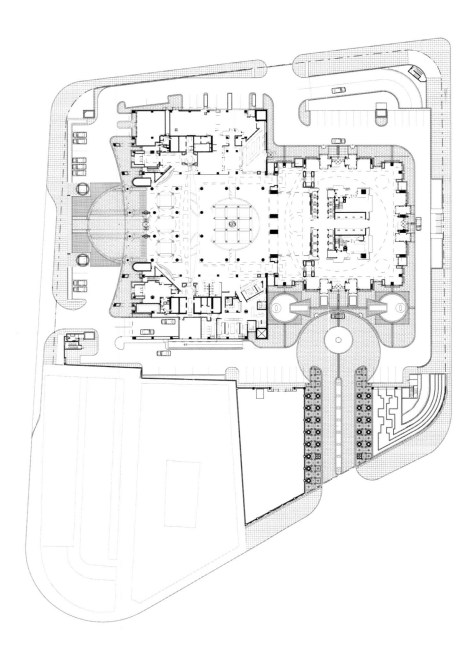

John Portman & Associates
Tomorrow Square | 2003
399 Nanjing West Road

Mit diesem Gebäude wollten die Architekten die Essenz von Shanghai einfangen, die sie in Form eines dynamischen, edlen, zeitgenössischen und futuristischen Bauwerks umsetzten. Das Gebäude sollte zu einer dramatisch wirkenden, städtischen Ikone werden. Dazu entwarfen die Architekten eine schlanke Form, die aus zwei gedrehten, kubischen Figuren besteht, abgeschlossen mit einer Pyramidenform. Diese Form unterstreicht den Charakter einer Stadt, die immer in die Zukunft blickt.

The idea behind the design of this project was to capture the essence of Shanghai, which, in the view of the architects, can be summed up in a dynamic, sophisticated, contemporary and futuristic volume. In order to achieve a highly dramatic urban icon, the architects came up with a slim volume made up of two cube-shape figures turned at an angle and topped by a pyramidal form. This configuration emphasizes the nature of a city that is always looking forward to the future.

La idea central de este proyecto fue capturar la esencia de Shanghai, que, a decir de los arquitectos, se resume en un volumen dinámico, sofisticado, contemporáneo y futurista. Para crear un icono urbano de gran dramatismo, se optó por un volumen esbelto compuesto por dos figuras cúbicas giradas y un remate piramidal. Un volumen que subraya el carácter de una ciudad que mira siempre hacia el futuro.

Il fallait pour concevoir ce projet capturer l'essence de Shanghai qui, selon les architectes eux-mêmes, se résume à un volume dynamique, sophistiqué, contemporain et futuriste. Pour réussir à créer une icone urbaine d'un grand intérêt, les architectes ont imaginé un volume svelte composé de deux figures cubiques tournées se terminant en forme pyramidale. Une figure qui souligne le caractère d'une ville qui regarde toujours vers le futur.

Per il disegno di questo progetto, l'idea originaria era quella di cogliere l'essenza di Shanghai che, secondo gli stessi architetti, si riassume in un volume dinamico, sofisticato, contemporaneo e futurista. Al fine di ottenere un'icona urbana di grande impatto visivo, gli architetti hanno optato per un volume slanciato composto da due figure cubiche girate e da un coronamento a forma piramidale. Una figura che sottolinea il carattere di una città proiettata sempre di più verso il futuro.

SITE PLAN

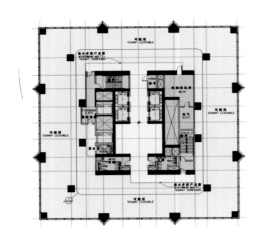

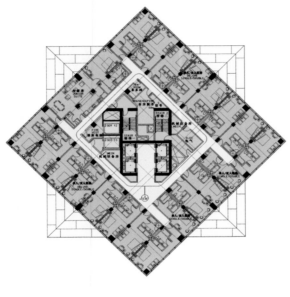

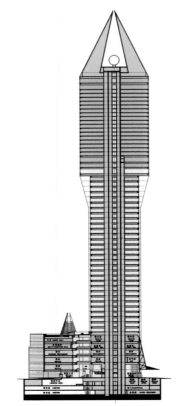

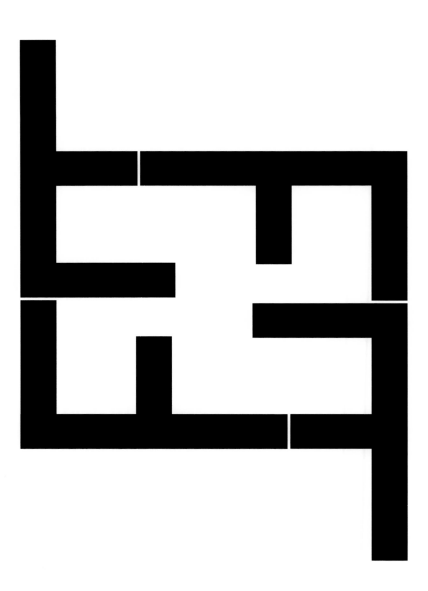

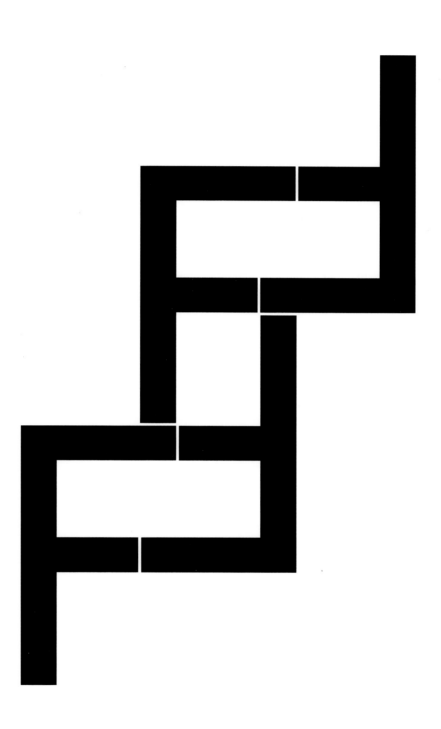

K plus K

Vidal Sassoon Academy | 2000
House 16, Xintiandi, 181 Tai Knag Lu

Für die Architekten gab es bei dieser Planung drei grundlegende Vorgaben. Zunächst musste das regionale Zentrum von Vidal Sassoon für den asiatischen Pazifikraum geschaffen werden, außerdem die erste Akademie Chinas für die Methoden dieses Unternehmens und dann der fortschrittlichste Schönheitssalon der Region. Dieses Gebäude befindet sich in Xintiandi, ein restauriertes, historisches Viertel im Herzen Shanghais. Es steht in einem klaren Gegensatz zu den traditionellen Materialien der Umgebung, und auch das Innere dieses Gebäude ist in einem sehr zeitgenössischen Stil gehalten.

The architects had three basic premises to guide their approach to the design of this project – the creation of Vidal Sassoon's regional headquarters in the Asian Pacific, the first academy in China to teach the company's methods and the most advanced beauty parlor in the region. The project is set in Xintiandi, a restored historical district in the center of Shanghai, and it establishes a clear contrast between the traditional materials of the urban surroundings and the contemporary language of its interior.

Para el diseño de este proyecto los arquitectos partieron de tres premisas fundamentales. Crear un centro regional de Vidal Sassoon para el Pacífico asiático, la primera academia en China sobre los métodos de la compañía y el más avanzado salón de belleza de la región. El proyecto se ubica en Xintiandi, una zona histórica rehabilitada del centro de Shanghai, y presenta un claro contraste entre los materiales tradicionales del entorno urbano y el lenguaje contemporáneo de su interior.

Pour le design de ce projet, les architectes ont eu trois prémisses fondamentales : Créer le centre régional de Vidal Sassoon pour le pacifique asiatique, créer la première académie en Chine sur les méthodes de la compagnie et le salon de beauté le plus avancé de la région. Le projet se trouve à Xintiandi, une zone du vieux quartier historique qui a été récupérée dans le centre de Shanghai. Il propose un vif contraste entre les matériaux traditionnels de l'environnement urbain et le langage contemporain de son design intérieur.

Per il disegno di questo progetto, gli architetti hanno tenuto conto di tre premesse fondamentali. Creare il centro regionale di Vidal Sassoon per la zona del pacifico asiatico, la prima accademia in Cina sui metodi di questa compagnia e il più avanzato salone di bellezza della regione. La futura costruzione sorgerà a Xintiandi, una zona storica, ormai recuperata, del centro di Shanghai; in generale, il progetto si prefigge di ottenere un netto contrasto tra i materiali tradizionali del contesto urbano e il linguaggio contemporaneo dei suoi interni.

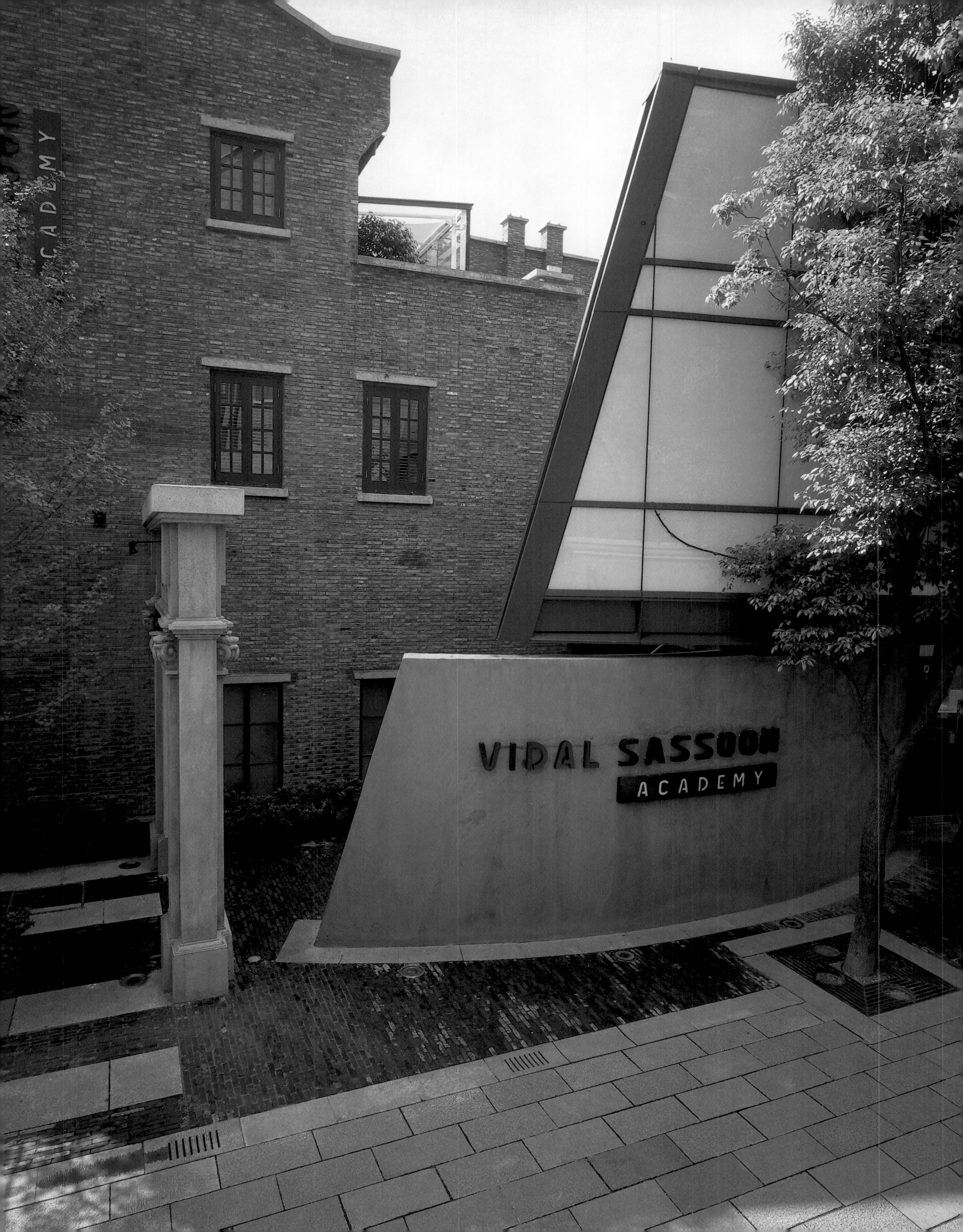

VIDAL SASSOON
ACADEMY

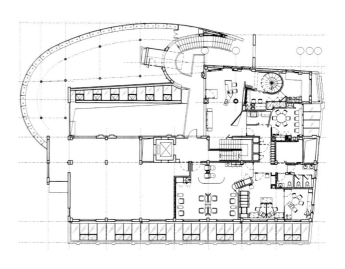

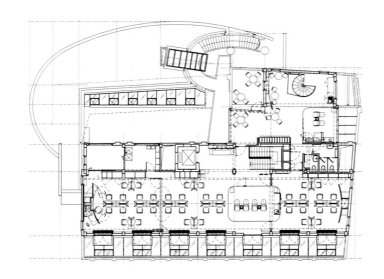

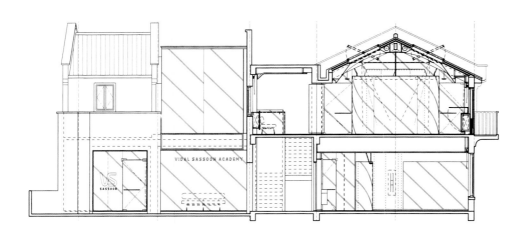

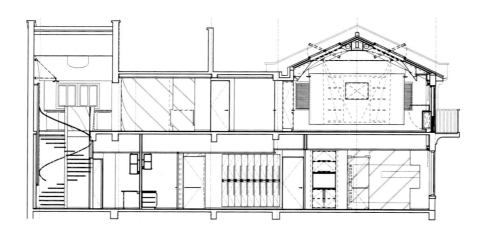

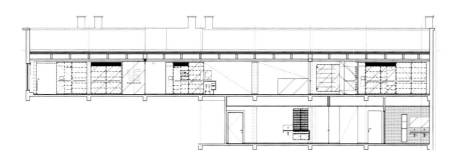

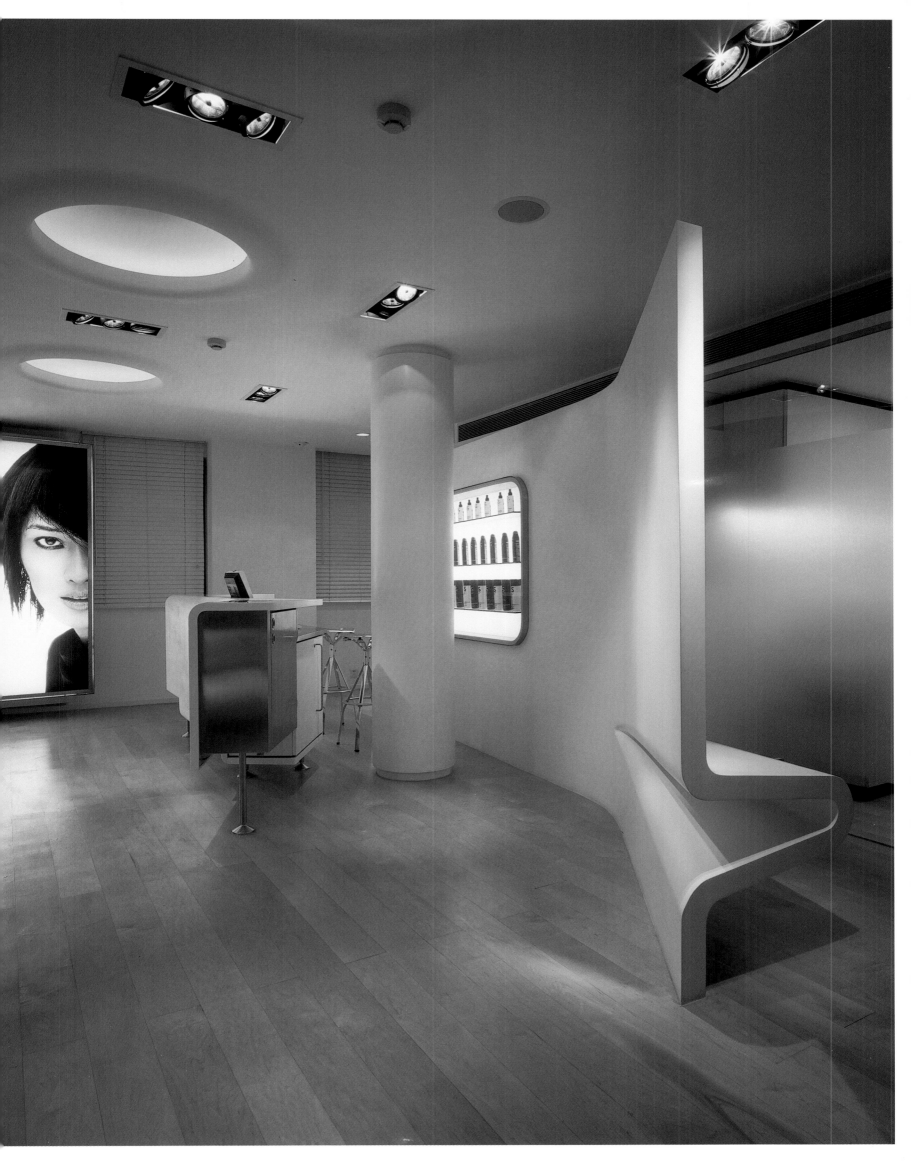

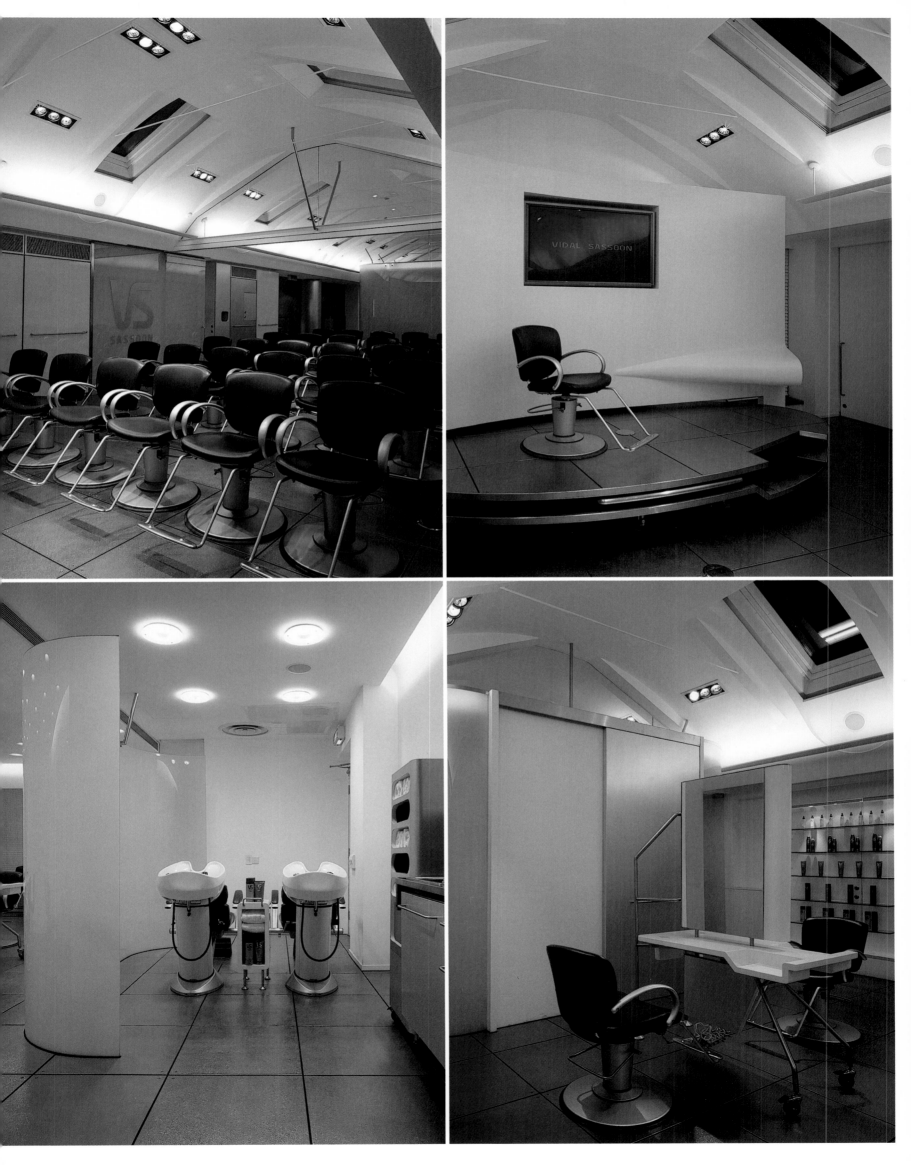

Kohn Pedersen Fox Associates

Plaza 66 | 2001
1266 Nanjing Xi Lu Road, Puxi

Dieser Auftrag für zwei Hochhäuser mit 40 und 60 Stockwerken und Einkaufszentrum im Erdgeschoss inmitten des alten Shanghai stellte eine große Herausforderung für die Architekten dar. Was an diesem Bauprojekt besonders schwierig war, war es, eine Komposition zu finden, die zwischen dem Stadtbild von Nanjing Xi Lu, der traditionellen Fußgängerzone, und der immensen Größe eines Wolkenkratzers vermittelt.

The commission to create two tower blocks of 40 and 60 stories with a shopping mall on the ground floor, in the heart of Shanghai's old city, posed major challenges for the architects. The foremost of these was the search for a composition that would mediate between the outlines of Nanjing Xi Lu, a traditional pedestrian street, and the large scale of this type of structure.

El encargo de crear un proyecto de dos torres de 40 y 60 plantas y un centro comercial en planta baja en el corazón del casco antiguo de Shanghai planteó retos importantes a los diseñadores. El principal fue crear una composición que fuese capaz de conjugar el perfil de Nanjing Xi Lu, una tradicional calle peatonal, con la gran escala de este tipo de estructuras.

Le projet de créer au cœur de la vieille ville de Shanghai deux tours de 40 et 60 étages avec un centre commercial au rez-de-chaussée était un challenge important à relever pour les designers. Le défi principal était d'imaginer une composition qui intégrerait le profil de Nanjing Xi Lu, une rue piétonnière typique, à la grande échelle de ce type de structure.

L'incarico di realizzare un progetto di due torri, di 40 e 60 piani, e un centro commerciale a piano terra nel cuore della città vecchia di Shanghai ha messo a dura prova gli architetti. Tra le difficoltà che caratterizzavano il progetto, vi era quella di creare una composizione che mettesse d'accordo l'assetto di Nanjing Xi Lu, una tradizionale via pedonale, con la grande scala di questo tipo di strutture.

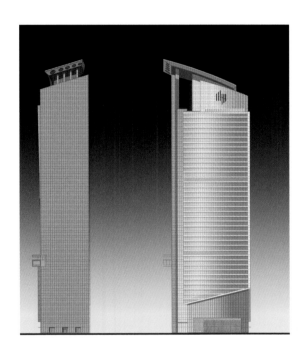

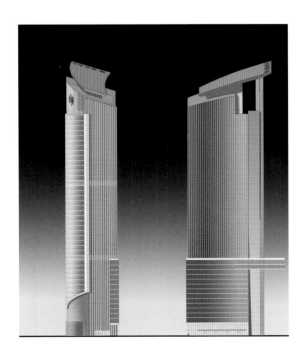

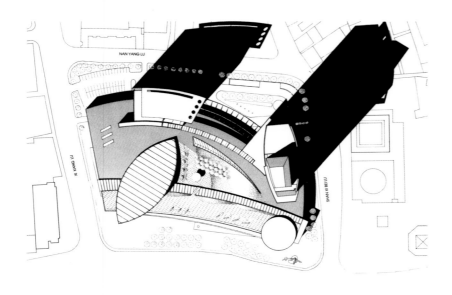

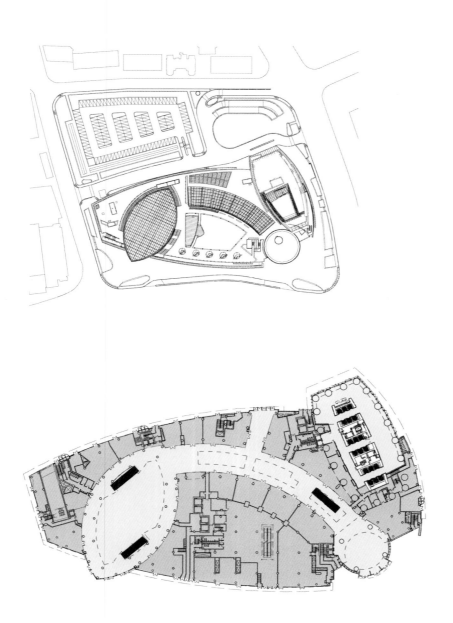

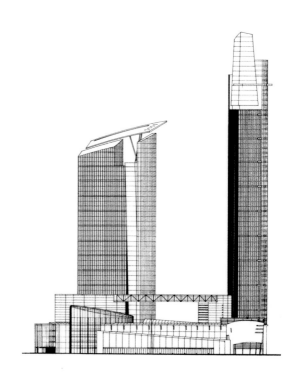

Kohn Pedersen Fox Associates
Shanghai World Financial Center | 2007
Lujiazui Financial and Trade Zone Center, Pudong

Dieses Gebäude wird bei seiner Fertigstellung im Jahr 2007 das höchste Hochhaus der Welt sein. Es befindet sich an einem privilegierten Standort im Finanzdistrikt Pudong, den die chinesische Regierung als das asiatisches Zentrum für das internationale Bankwesen und den Handel ausgewählt hat. Die monolithische Einfachheit dieses 101 Stockwerke hohen Wolkenkratzers ist die Antwort auf das komplexe, städtische Gebilde, das durch die rasend schnelle Stadtentwicklung entstanden ist.

When this building is completed, in 2007, it will stand as the highest in the world. The project occupies a key spot in the Pudong financial district, which the Chinese government has earmarked as the hub of Asia's banking and international trade. The monolithic simplicity of the tower, with its 101 floors, is a reaction to the complex urban fabric that has emerged as a result of the area's rapid development.

Cuando en el año 2007 termine de construirse, este edificio se convertirá en el más alto del mundo. El proyecto está situado en un lugar clave del distrito financiero de Pudong, pensado por el gobierno chino como centro asiático para la banca y el comercio internacional. La simplicidad monolítica de la torre, de 101 plantas, responde a un tejido urbano complejo consecuencia de un rápido desarrollo urbano.

Quand il sera construit en 2007, ce bâtiment deviendra le plus haut du monde. Le projet est situé dans un endroit clé du secteur financier de Pudong, que le gouvernement chinois a désigné comme étant le centre financier et du commerce international asiatique. La simplicité monolithique de cette tour de 101 étages répond au tissu urbain complexe provenant d'un développement urbain rapide.

Quando sarà terminato, nel 2007, questo edificio si ergerà come il più alto del mondo. Il progetto occupa un luogo chiave del distretto finanziario di Pudong, designato dal governo cinese come centro asiatico per la banca e il commercio internazionale. La semplicità monolitica della torre, di 101 piani, contrasta con l'intricato tessuto, frutto del rapido sviluppo urbanistico della zona.

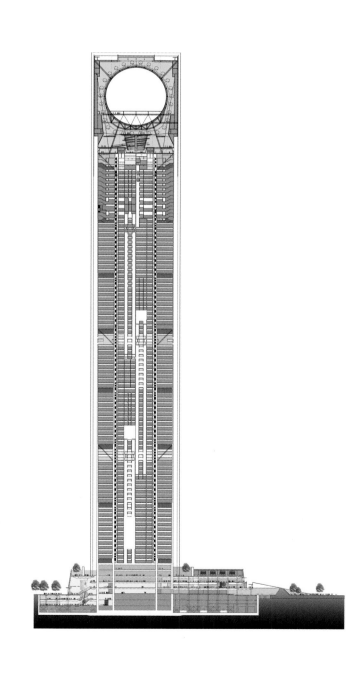

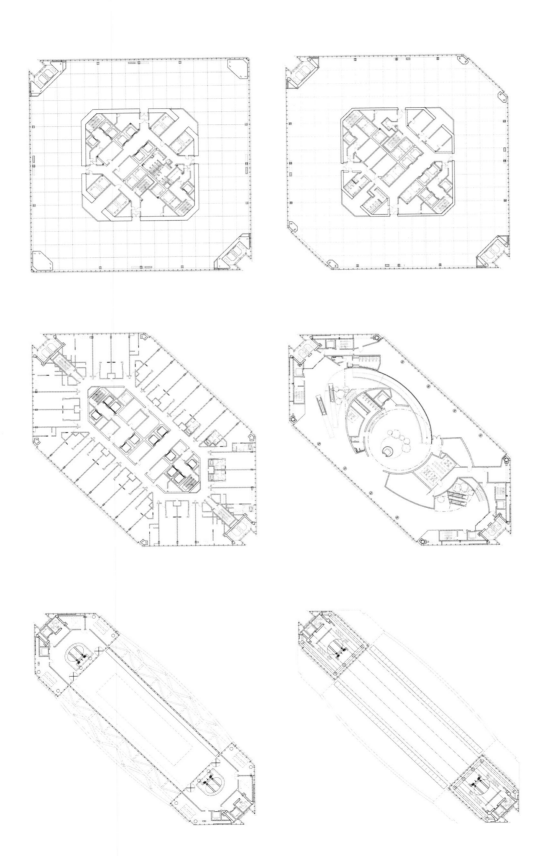

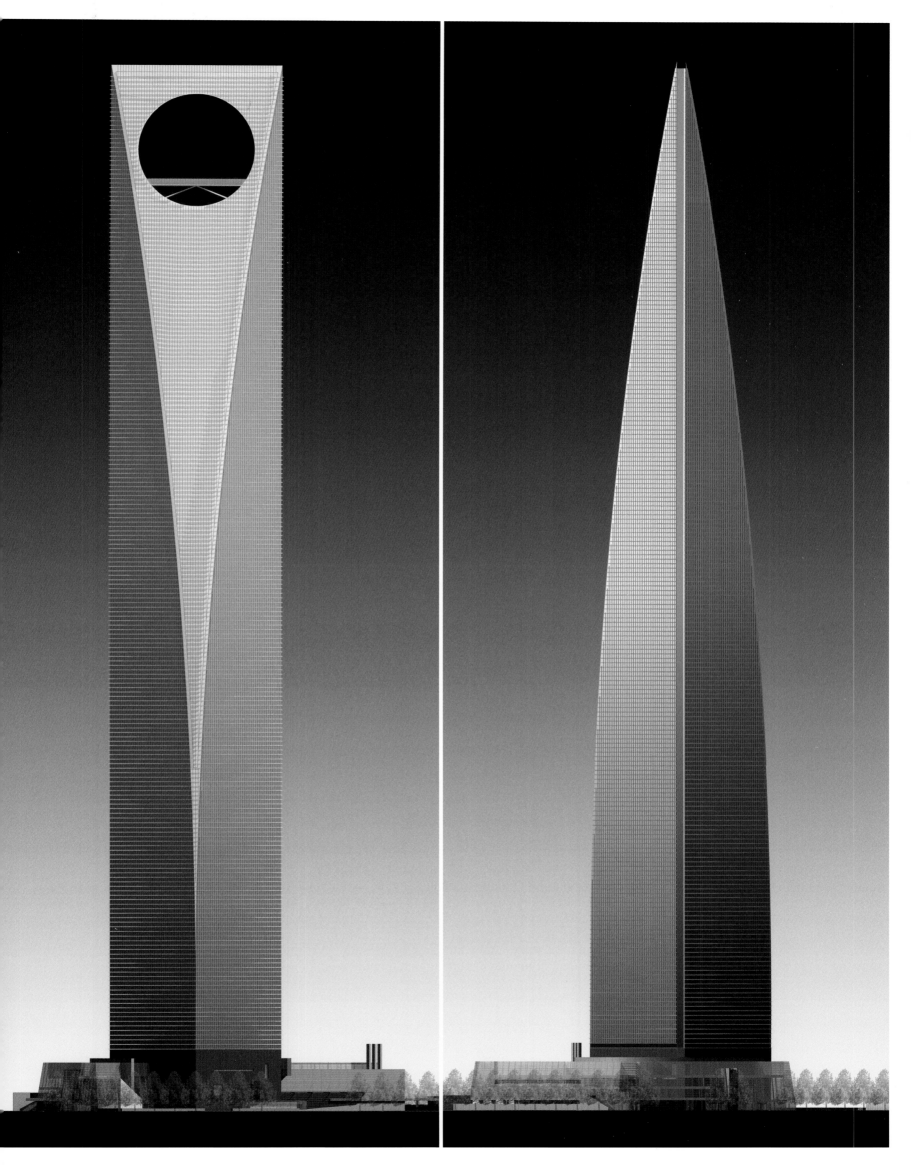

Kohn Pedersen Fox Associates
Wheelock Square | 2007
1717 West Nanjing Xi Lu Road, Puxi

Die Planung dieses Hochhauses mit 57 Stockwerken stellte eine schwierige Aufgabe dar, da die Lage des Grundstücks das Projekt stark beeinflusste. Einerseits war da das einheitliche Stadtbild des Viertels Nanjing Xi Lu, und ebenso musste man die Stadtlandschaft, die durch die große Autobahn nach Yan'An Xi Lu entstanden war, in die Planung einbeziehen. Das Hochhaus selbst ist als eine einfache, plastische und einzigartige Form angelegt, die sich über einem Platz erhebt, der als städtischer Treffpunkt dient und eine Art Verlängerung des anliegenden Parks Ping An darstellt.

The design for this 57-floor tower seeks to respond to the various factors impinging on the site, such as the unbroken urban profile offered by Nanjing Xi Lu and the configuration of the large freeway that heads toward Yan'An Xi Lu. The tower itself is conceived as a distinctive but simple sculptural form that soars above a square that acts as a meeting place and prolongation of the adjacent Ping An Park.

El diseño de esta torre de 57 plantas intenta dar una respuesta a las características del solar definidas por el perfil urbano continuo de Nanjing Xi Lu y por el paisaje que dibuja la gran autopista hacia Yan'An Xi Lu. La torre se ha concebido como una forma escultórica simple y singular que se levanta sobre una plaza, punto de encuentro urbano y prolongación del adyacente Ping An Park.

Il fallait tout d'abord pour concevoir cette tour de 57 étages répondre aux différentes caractéristiques qui affecte le terrain, c'est à dire prendre en compte le profil urbain continu qu'offre Nanjing Xi Lu et la grande autoroute qui va vers Yan'An Xi Lu. Cette tour, telle une sculpture simple et singulière, s'élève sur une place qui tient lieu de point de rencontre urbaine dans le prolongement du parc adjacent de Ping An.

Il disegno di questa torre di 57 piani intende rispondere alle diverse caratteristiche che contraddistinguono il terreno su cui edificarla: sia il profilo urbano continuo offerto da Nanjing Xi Lu che il paesaggio di grande autostrada verso Yan'An Xi Lu. La torre in sé viene concepita come una forma scultorea semplice e singolare che si erge su una piazza, luogo di ritrovo urbano, come prolungamento del contiguo Ping An Park.

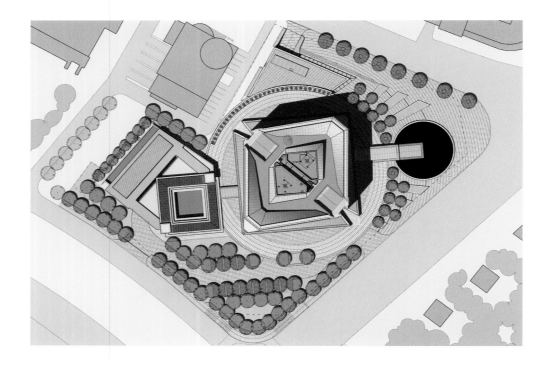

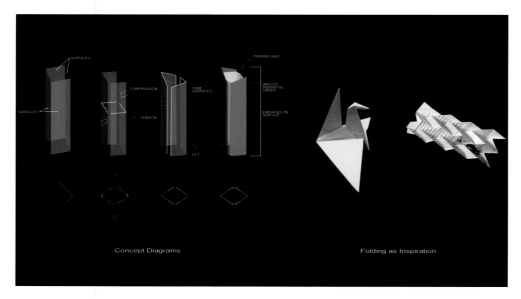

Concept Diagrams

Folding as Inspiration

Lan Kwai Fong Group
California Club | 2000
2A Gao Lan Lu, Fuxing Park

Dieses Lokal gehört zu dem Gebäudekomplex Park 97, eine alte Villa, die sich im Zentrum von Shanghai befindet und in der sich ein Restaurant, eine Bar und ein Nachtclub befinden. In den Räumen herrscht die Farbe Rot vor, die an den Wänden, Lampen, in den Gardinen und Möbeln zu finden ist. Es sollte eine Atmosphäre geschaffen werden, die teils an die Avantgarde, teils an die Dekadenz erinnert, mit Anspielungen auf die Nachtclubs der Siebzigerjahre.

This club forms part of the Park 97 complex, an old mansion that has been engulfed by the center of Shanghai and has now been converted into an leisure zone that includes a restaurant, a bar and this nightclub. The dominant characteristic of its interior design is the color red, which is present on walls, lamps, drapes and furniture. The idea was to create a space midway between avant-garde and decadent, with allusions to the nightspots of the 1970s.

Este local forma parte del complejo Park 97, una antigua mansión que quedó atrapada en el centro de Shanghai y que ahora se ha convertido en un lugar destinado a restaurante, bar y club nocturno. La característica predominante del diseño interior del club es el predominio del rojo, presente en paredes, lámparas, cortinas y mobiliario. El objetivo era crear un espacio a medio camino entre vanguardista y decadente con alusiones a los locales nocturnos de la década de 1970.

Ce local fait partie du complexe Park 97, une ancienne demeure qui a survécu dans le centre de Shanghai et qui aujourd'hui est devenue un lieu où se trouvent un restaurant, un bar et un club nocturne. Son design intérieur est caractérisé par la prédominance du rouge, présent sur les murs, les lampes, les rideaux et le mobilier en général. On a voulu créer un espace à mi-chemin entre avant-garde et décadence, inspiré par le design des locaux nocturnes des années 70.

Questo locale fa parte del complesso Park 97, un antico stabile immerso nel centro di Shanghai, riconvertito adesso in uno spazio che à al tempo stesso ristorante, bar e club notturno. La principale caratteristica dell'arredamento è data dal predominio del rosso, presente nelle pareti, lampade, tende e anche nei mobili. L'intenzione è stata quella di creare uno spazio a metà strada tra l'avanguardia e la decadenza, con allusioni ai locali notturni degli anni 70.

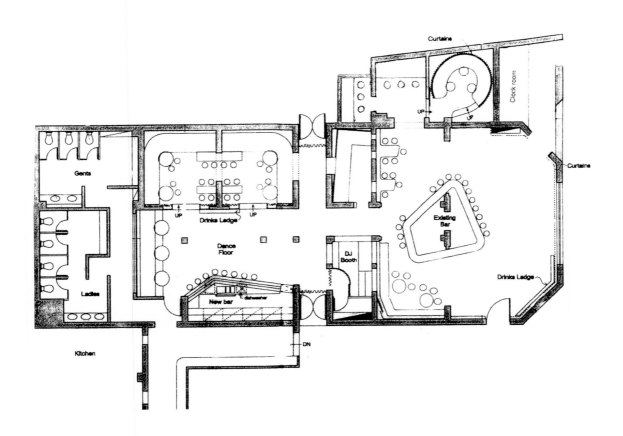

Gents

Drinks Ledge

Ladies

Dance
Floor

Kitchen

DN

New bar

Dishwasher

DJ
Booth

Existing
Bar

Drinks Ledge

Curtains

Clock room

UP

UP

Curtains

UP

UP

Loretta Hui-shan Yang
TMSK Restaurant | 2001
Unit 2, No. 11, Beili, Xintiandi Square, Lane 181, Taicang Road

Die Gestaltung dieses Restaurants im vor kurzer Zeit restauriertem Viertel Xintiandi im Zentrum von Shanghai beschwört die traditio-nelle, chinesische Kultur wieder herauf, setzt aber gleichzeitig auf eine innovative und klare Linie. Jede Einzelheit wurde sorgfältig durchdacht, was zu einem starken Gesamtausdruck führte. Große Wirkung wird durch das Gewölbe mit unzähligen Lichtern, die Bar aus bunten Glas, die lackierten Möbeln und die mit Goldfarbe gestrichenen Paneele erzielt.

The design for this restaurant, situated in the recently restored Xintiandi neighborhood in the center of Shanghai, comprises an evoca-tion of traditional Chinese culture, as well as a commitment to a bold, innovative visual idiom. The strong impact of this restaurant is derived from the meticulous design of the features making up its interior, such as the vault with hundreds of skylights, the bar made of colored glass, the lacquered furniture and the gold-painted panels.

El diseño de este restaurante, ubicado en el barrio recientemente recuperado de Xintiandi, en el centro de Shanghai, aspira a evocar la cultura tradicional china al tiempo que apuesta por un lenguaje innovador y contundente. La imagen potente de este restaurante se ha obtenido a través del cuidadoso diseño de los detalles que componen el espacio interior, como la bóveda perforada por cientos de focos luminosos, la barra de cristal de colores, el mobiliario lacado o los paneles de pintura de oro.

Le design de ce restaurant du centre de Shanghai, situé dans le quartier récemment réhabilité de Xintiandi, a été conçu en s'inspirant à la fois d'éléments de la culture traditionnelle chinoise et en pariant sur un langage novateur et contondant. Une image puissante se dégage de ce restaurant grâce au design élaboré des détails qui composent l'espace intérieur, comme la voûte aux centaines d'illumi-nations, le comptoir en verre de différentes couleurs, le mobilier laqué ou les panneaux peints couleur or.

L'arredamento di questo ristorante, situato a Xintiandi, uno dei quartieri da poco recuperati del centro di Shanghai, è incentrato nell'e-vocazione della cultura tradizionale cinese anche se strizza un po' l'occhio ad un linguaggio deciso ed innovativo. A conferire una forte immagine al ristorante contribuisce l'accurato disegno dei particolari che compongono lo spazio interno, come la volta ricoperta di vari tipi di illuminazione, il bancone realizzato in vetro colorato, la mobilia laccata o i pannelli dipinti d'oro.

Michael Graves & Associates
Laris | 2004
3 The Bund, 6th Floor, 3 Zhong Shan Dong Yi Road

Bei dem Bar-Restaurant Laris handelte es sich um ein umfassendes Bauprojekt, das die gesamte sechste Etage des berühmten Gebäudes The Bund am historischen Kai von Shanghai umfasste. Die Gestaltung ging von einer rechtwinkligen Geometrie aus, die sich sowohl in der Gestaltung der Wände, Böden und Decke als auch im Mobiliar und kleinen dekorativen Details widerspiegelt. Marmor und Granit in weißen und schwarzen Tönen, mit denen der Boden und ein großer Teil der Wände verkleidet sind, schaffen eine sehr persönliche Atmosphäre.

The restaurant-bar Laris is an extensive project that occupies the entire sixth floor of the mythical Bund building on Shanghai's historic waterfront. The design is based on an orthogonal geometry that is reflected in both the finishings and the furniture, as well as in small, decorative details. The main distinguishing features in the interior are the marble and granite in shades of black and white that cover the floor and a large part of the walls.

El restaurante bar Laris es un amplio proyecto que ocupa la totalidad de la sexta planta del mítico edificio The Bund, en el malecón histórico de Shanghai. El diseño parte de una geometría ortogonal que se refleja tanto en los acabados como en el mobiliario y los pequeños detalles decorativos. El mármol y el granito de tonos blancos y negros que revisten el suelo y gran parte de las paredes imprimen en el interior un sello inequívocamente personal.

Le restaurant bar Laris est un vaste projet qui occupe tout le sixième étage du célèbre bâtiment The Bund, sur la jetée du vieux quartier de Shanghai. Le design part d'une forme orthogonale qui se reflète aussi bien dans les finitions que dans le mobilier et les petits détails décoratifs. Le sol et une grande partie des murs sont recouverts par du marbre et du granit dans des tons blancs et noirs qui donnent une personnalité très forte au design intérieur.

Il ristorante bar Laris rappresenta un vasto progetto che occupa l'intero sesto piano del mitico edificio The Bund, nel famoso lungomare di Shanghai. Il disegno parte da una geometria ortogonale che si rispecchia sia nelle finiture che nella mobilia e nei piccoli dettagli decorativi. Il marmo e il granito in toni bianchi e neri che rivestono il pavimento e gran parte delle pareti danno un tocco decisamente personale all'arredamento degli interni.

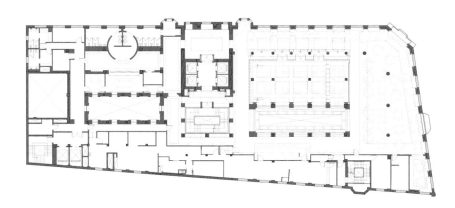

Murphy / Jahn
Shanghai International Expo Center | 2002
2345 Long Yang Road

Das Messegelände von Shanghai wurde nach einem architektonischen Konzept angelegt, das an die Struktur eines Dorfes erinnert. Die Zugänge zu den verschiedenen Pavillons befinden sich um einen großen, offenen, dreieckigen Platz herum, auf dem auch Open-Air-Ausstellungen stattfinden können. Die Biegungen der Dächer wiederholen sich und schaffen eine Wellenform, die den gesamten Messekomplex charakterisiert.

The design concept for the overall layout of Shanghai's center for trade fairs is based on the layout of a town. The accesses to the various pavilions are clustered around a large open space in the form of a triangle that also serves as a site for open-air exhibitions. The repetition of the curved structure covering the pavilions creates a wavy outline that endows the complex with its special character.

El concepto de diseño para el plan general del recinto ferial de Shanghai se inspira en la estructura urbana de un núcleo rural. Los accesos a los diferentes pabellones se agrupan alrededor de un gran espacio abierto triangular que sirve de plaza y también de espacio expositivo al aire libre. La estructura curva que cubre los pabellones se repite creando una forma ondulada que caracteriza el conjunto.

Le concept de design pour le plan général de la foire d'exposition de Shanghai est basé sur la structure urbaine d'un village. Les accès aux différents pavillons sont regroupés autour d'un grand espace ouvert de forme triangulaire, tenant lieu de place et qui sert aussi comme endroit d'exposition à l'air libre. La répétition de la structure courbe qui recouvre les pavillons crée une forme ondulée qui caractérise l'ensemble.

L'idea progettuale concepita per il piano generale del quartiere fieristico di Shanghai è improntata alla struttura urbana di un paese. Gli accessi ai diversi padiglioni si raggruppano attorno ad un grande spazio aperto, a mo' di piazza, avente forma triangolare, che serve pure come punto espositivo all'aperto. La ripetizione della struttura curva che riveste i padiglioni crea una forma ondulata che caratterizza l'intero complesso.

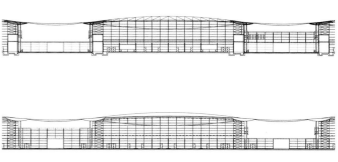

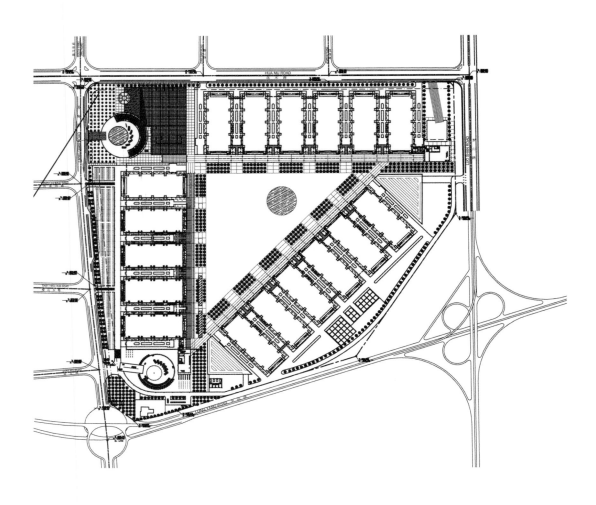

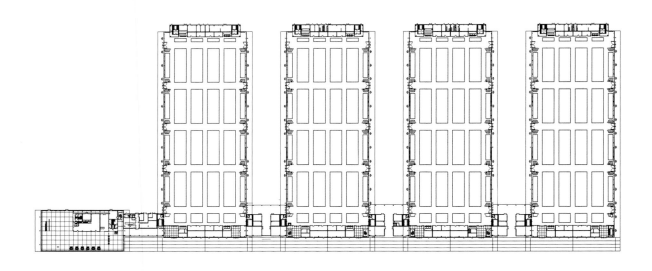

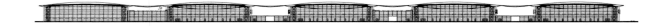

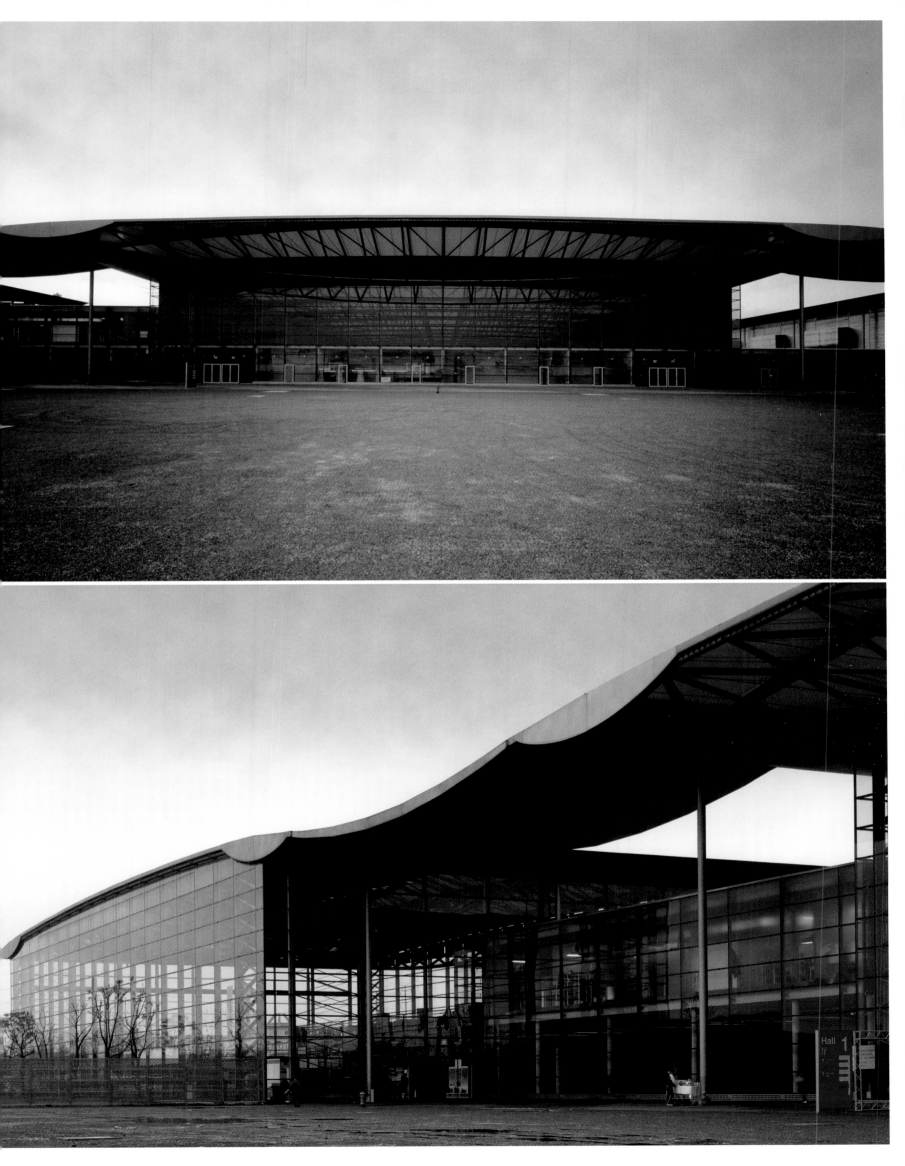

Sergio Young / **Global Creative Works**
Shintori | 2000
803 Julu Lu

Dieses japanische Restaurant wurde als eines der besten Projekte im Bereich Innenarchitektur in der Stadt eingestuft. Es ist von einem Bambusgarten umgeben und auf verschiedenen Ebenen angelegt, auf denen die Küche eine dominierende Rolle spielt, da sie sich im Zentrum befindet. Gestaltungselemente wie die Reinheit der Formen, der Blick auf den Garten, der unverputzte Beton, Metallbleche und die grauen Farben sind von einem modernen Zen-Stil inspiriert.

This Japanese restaurant has been recognized as one of the best interior design projects in the entire city. It is surrounded by an exterior bamboo garden and spread over several levels, with pride of place going to the kitchen, set in the center of the space. Design features such as pure forms, views of the garden, exposed concrete, metal sheets and shades of gray are inspired by the modern Zen style.

Este restaurante japonés ha sido catalogado como uno de los mejores proyectos de diseño interior de la ciudad. El conjunto, rodeado por un jardín exterior de bambú, se estructura en varios niveles que otorgan a la cocina, ubicada en el centro del espacio, un gran protagonismo. Elementos del diseño como las formas esbeltas, las vistas al jardín, el hormigón visto, las chapas metálicas y las tonalidades grises se inspiran en el estilo zen moderno.

Ce restaurant japonais a été jugé comme l'un des meilleurs projets de design intérieur de la ville. L'espace, entouré par un jardin extérieur de bambous, est distribué sur plusieurs niveaux qui font de la cuisine, située au centre, l'élément principal du restaurant. Des éléments de design comme la netteté des formes, les vues sur le jardin, le béton brut, les plaques métalliques et les tons gris sont inspirés par le style zen moderne.

Questo ristorante giapponese è stato catalogato come uno dei migliori progetti di interior design della città. Il locale, circondato da un giardino esterno di bambù, è disposto su vari livelli che conferiscono enorme protagonismo alla cucina, situata al centro dello spazio. Altri elementi del disegno quali la purezza delle forme, le vedute sul giardino, il cemento a vista, le lastre metalliche e i toni grigi si ispirano allo stile Zen moderno.

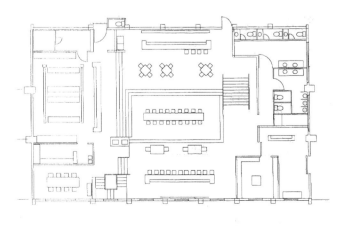

Skidmore, Owings & Merrill
Jin Mao Tower | 1998
88 Century Boulevard, Pudong

Dieses Hochhaus, in dem es ein Hotel, Büros, Geschäfte, Freizeiteinrichtungen und Parkplätze gibt, greift die Form der traditionellen chinesischen Pagoden wieder auf, um mit ihr dieses riesige Gebäude zu schaffen, das in den Himmel ragt und zu einem unverwechselbaren Bestandteil der Skyline Shanghais wurde. Die Stufen, die dieses Gebäude aus Stahl und Glas hat, folgen dem Muster von Pagoden. Sie wirken rhythmisch und spiegeln den sich verändernden Himmel der Stadt wider.

This 88-floor block containing a hotel, offices, stores, recreational facilities and parking lots reworks the traditional form of the Chinese pagoda to create a colossal building that soars upwards as an unmistakable landmark in Shanghai's skyline. The recesses found in the steel and crystal volume echo the tiered pattern of a pagoda to create a rhythmic effect that incorporates reflections of the city's ever-changing sky.

Esta torre de 88 plantas que alberga un hotel, oficinas, comercios, instalaciones recreativas y aparcamientos se inspira en la forma tradicional de las pagodas chinas para producir esta colosal pieza que se yergue inconfundible sobre el perfil urbano de Shanghai. La alternancia de acero y cristal en el volumen responde al patrón escalonado de las pagodas y genera un efecto rítmico en donde se refleja el cambiante cielo de la ciudad.

Cette tour de 88 étages abrite un hôtel, des bureaux, des commerces, des installations récréatives et des places de parking. Elle s'inspire de la forme traditionnelle des pagodes chinoises pour produire un bâtiment colossal qui s'élève en faisant déjà partie du profil urbain caractéristique de Shanghai. Les reculs effectués au fur et à mesure dans le volume d'acier et de verre, qui suit le modèle étagé des pagodes, crée un effet rythmique où se reflète le ciel changeant de la ville.

Questa torre di 88 piani, che ospita un albergo, uffici, negozi, locali per attività ricreative e parcheggi, riprende la forma tradizionale delle pagode cinesi per dar vita a questo colossale elemento che si erge come elemento inconfondibile del profilo urbano di Shanghai. Le alternanze di acciaio e vetro che si producono nella struttura, seguendo il modello a scalare delle pagode, creano un effetto ritmico dove si rispecchia il cielo cangiante della città.

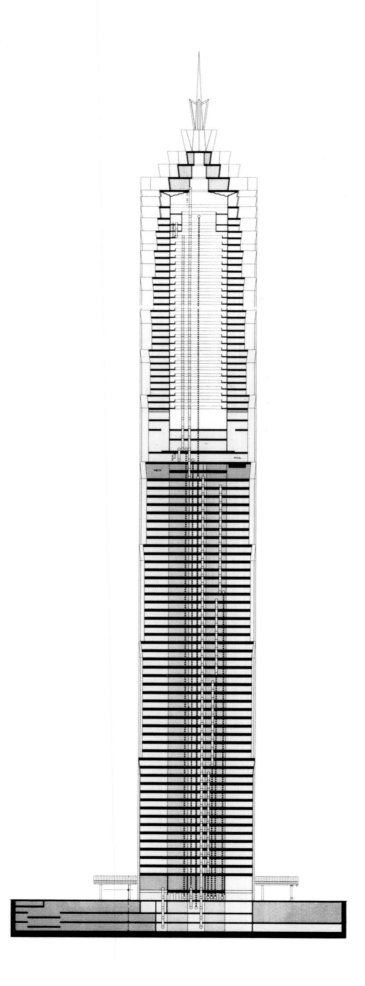

Tilke
Shanghai International Circuit | 2004
2000 Yining Road, Jiading District

Bestimmte Konzepte der traditionellen, chinesischen Kultur dienten den Architekten als Referenz bei der Planung der Formel-1-Rennstrecke in Shanghai. Wenn man sie aus der Luft betrachtet, formt sie das Schriftzeichen „Shang", das „über" bedeutet. Die Symbolik der Gebäude und ihrer Formen leitet sich von Referenzen aus der Geschichte, Natur und Technik ab, die in Formen, Farben und innovative Materialien übersetzt wurden. So sollen chinesische Traditionen, von denen das Bauprojekt inspiriert ist, aufrecht erhalten werden.

The architects borrowed concepts from traditional Chinese culture in their design for the Shanghai Formula 1 racetrack. When seen from the air, the entire complex forms the character "shang", which means "above". The symbolism and forms of the buildings draw on historical, natural and technological references, which are interpreted in innovative forms, colors and materials imbued with the desire to perpetuate the cultural traditions on which the project is inspired.

Los arquitectos han tomado como referencia ciertos conceptos de la cultura tradicional china para diseñar el circuito de fórmula 1 de Shanghai. Visto desde el aire, el complejo tiene la forma del carácter "shang", que significa "encima". Referentes históricos, naturales y tecnológicos dan lugar a las formas simbólicas del edificio y se traducen en colores y materiales innovadores que continúan las tradiciones culturales en las que el proyecto se inspira.

Certains concepts de la culture chinoise traditionnelle ont servi de références aux architectes pour le design du Circuit de Formule 1 à Shanghai. Vu du ciel, le complexe entier reflète le caractère «shang » qui signifie «au-dessus ». Le symbolisme des bâtiments et leurs formes proviennent de référents historiques, naturels et technologiques et se traduisent par des formes, des couleurs et des matériaux innovateurs afin de perpétuer les traditions culturelles dont le projet s'inspire.

Per il disegno del Circuito di Formula 1 di Shanghai, gli architetti hanno preso spunto da certi concetti della cultura tradizionale cinese. Visto dall'alto, l'intero circuito assume infatti la forma del primo degli ideogrammi che formano il nome della metropoli ("shang" significa "sopra", "in alto"). Con l'intenzione di perpetuare le tradizioni culturali a cui si ispira il progetto, i referenti storici, naturali e tecnologici influiscono direttamente sulle forme, sui colori, sui materiali innovativi, nonché sul simbolismo degli stessi edifici.

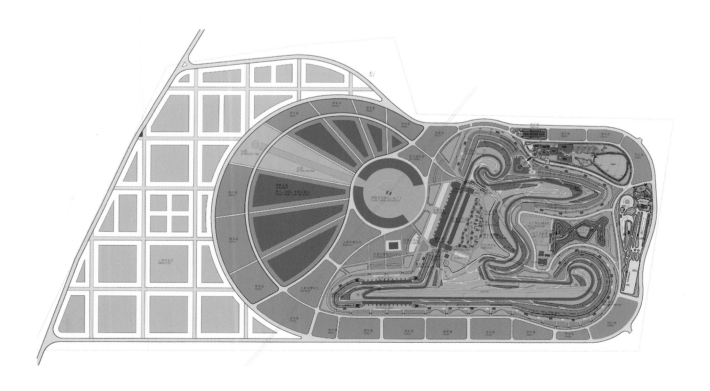

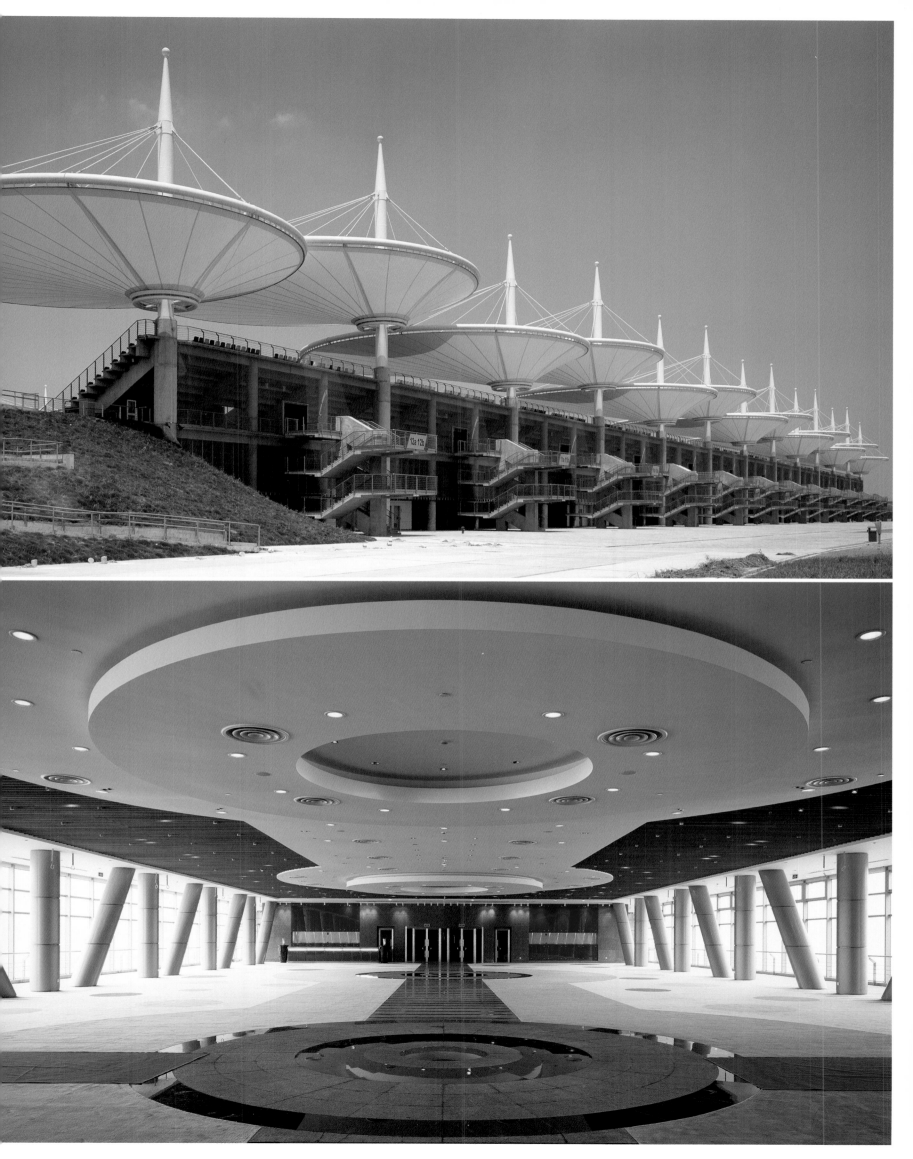

Urban Design System
Suzhou River Warehouse | 2004
1305 South Suzhou Road

Als Teng Kunyen im Jahr 1997 dieses alte Industriegebäude am Ufer des Flusses Suzhou auswählte, um darin sein eigenes Architekturstudio einzurichten, befand sich diese Zone in einem sehr schlechten Zustand. Die Vision, die dieser Architekt von der Stadterneuerung Shanghais hatte, übertraf seine eigenen Erwartungen. In einer Rekordzeit wurden die Zonen an den Flussufern modernisiert und umgestaltet. In dem alten Gebäude sind im Erdgeschoss eine Bücherei und in den beiden oberen Etagen die Architekturstudios untergebracht.

When Teng Kunyen chose these old industrial premises on the banks of the Suzhou River in 1997 to set up his own architectural studio, the area was in a sorry state. The recovery of Shanghai's urban fabric has exceeded even this architect's own expectations, however, and the two sides of the river have experienced a dizzying renovation. The old structure now comprises a bookstore on the ground floor and two architectural studios on the upper plants.

Cuando en 1997 Teng Kunyen escogió esta antigua nave industrial a orillas del río Suzhou para instalar su propia firma de arquitectura, la zona presentaba un alto grado de deterioro. La recuperación urbana de Shanghai ha superado las expectativas del propio arquitecto y en un tiempo récord las dos orillas del río han experimentado una renovación urbana vertiginosa. La planta baja de la antigua estructura acoge ahora una librería, mientras que las plantas superiores son ocupadas por dos estudios de arquitectura.

Quand en 1997 Teng Kunyen a choisi cet ancien bâtiment industriel au bord du fleuve Suzhou pour installer sa propre étude d'architecture, le secteur était très détérioré. La vision de cet architecte sur la récupération urbaine de Shanghai a dépassé ses propres attentes et en un temps record les deux berges du fleuve ont connu une rénovation urbaine vertigineuse. Une librairie a été montée au rez-de-chaussée de l'ancienne structure et deux agences d'architecture aux étages supérieurs.

Quando nel 1997 Teng Kunyen scelse questo vecchio capannone industriale sulla riva del fiume Suzhou per installarvi il propria studio di architettura, la zona presentava un elevato stato di degrado. La visione di questo architetto sul recupero urbano di Shanghai superò le sue stesse aspettative e in tempi record le due sponde del fiume sono state oggetto di un rinnovamento urbano vertiginoso. Nella vecchia struttura hanno trovato posto una libreria a piano terra e due studi di architettura ai piani superiori.

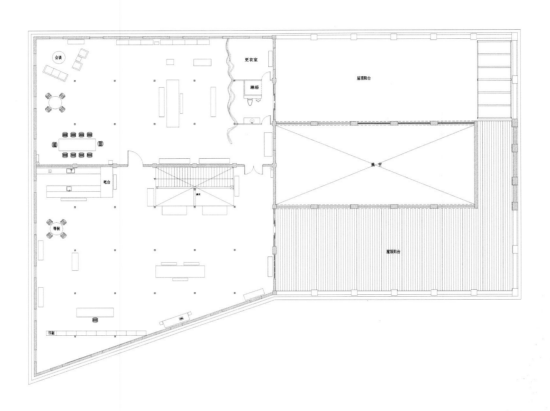

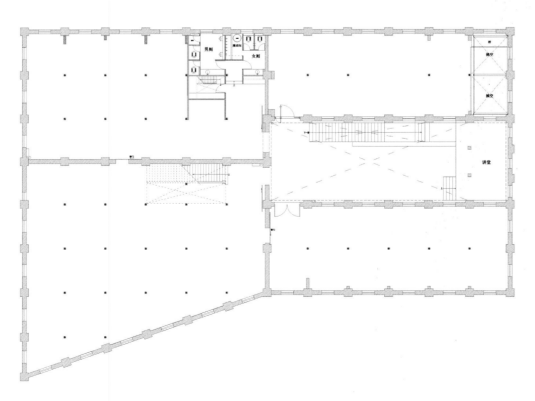

Wood + Zapata
DR Bar | 2002
15 Xintiandi North Block, Lane 181 TaiCang Road

Dieses kleine Lokal im Viertel Xintiandi ist ein schlichter und sehr privater Ort inmitten des turbulenten Großstadtlebens. Schwarz ist die vorherrschende Farbe, sie ist in den Fußböden, Wänden, Decken und auch in den gesamten Möbeln der Bar zu finden. Im Kontrast dazu fällt durch eine Markise und ein großes Fenster reichlich Licht in den Raum. Zwei mit Keramikteilen verkleidete Wände schaffen eine warme Textur und ziehen an den beiden Enden des Raumes die Blicke auf sich.

This small establishment in the Xintiandi neighborhood was conceived as an austere, intimate space isolated from the rhythms of the city outside. Black is the dominant feature, as it is present on the floors, walls and ceilings, as well being used for all the furnishings in the bar. In contrast, a glass canopy and large window flood the setting with light, while two walls clad with tiles create warm textures and act as focal points at the far ends of the space.

Este pequeño bar, ubicado en el barrio de Xintiandi, se propone como un espacio sobrio e íntimo aislado del bullicio urbano del exterior. El color negro es el principal protagonista y envuelve los suelos, las paredes, los techos y todo el mobiliario del local. Contrastan una marquesina y una ventana de gran tamaño que inundan de luz el espacio y dos paredes revestidas con piezas cerámicas de cálida textura que se convierten en puntos focales de los extremos del bar.

Ce petit local, situé dans le quartier de Xintiandi, a été conçu comme un espace sobre et intime, protégé de la frénésie urbaine alentour. L'élément principal est la couleur noire, aussi bien présente au niveau des sols, des murs et des plafonds que dans tout le mobilier du bar. Une marquise et une grande fenêtre venant en contraste permettent à la lumière d'inonder l'espace ; deux murs réchauffent l'ensemble ; ils ont été conçus comme points focaux vers les extrémités de l'espace et sont recouverts de carreaux de céramique.

Questo piccolo locale, situato nel quartiere di Xintiandi, si configura come uno spazio sobrio e intimo, isolato dal ritmo urbano dell'esterno. Il colore nero è il principale protagonista, presente sia nei pavimenti, pareti e soffitti che in tutta la mobilia del bar. Come contrasto, una tettoia e un'ampia finestra inondano di luce lo spazio e due pareti rivestite di elementi in ceramica generano un'atmosfera calda proiettandosi come punti focali verso le estremità dello spazio.

Wood + Zapata
Shanghai American School Central Administration Building | 2004
258 Jin Feng Lu, Zhudi Town Minhang

Dieses Gebäude auf dem Campus der Shanghai American School ist eines der drei neuen Gebäude, mit denen die Schule Wood + Zapata beauftragt hatte. Das Zentralgebäude, in dem die Verwaltung untergebracht ist, liegt gegenüber der Einfahrt zum Campus und dient als zentraler Zugang zu dem Gelände. Das mit Stein, Glas und geriffeltem Metall verkleidete Gebäude hat sowohl die Funktion einer zentralen Verwaltungseinrichtung als auch die eines Treffpunkts für die Studenten.

This building on the campus of the Shanghai American School is one of three new buildings commissioned from Wood + Zapata. The central administration building is situated in front of the entrance of the campus and serves as the main gateway to the grounds. A structure clad with stone, glass and corrugated metal was created as both a focal point and a meeting place for students.

Este edificio, ubicado en el campus de la Shanghai American School, es uno de los tres nuevos edificios de la escuela que se encargaron a Wood + Zapata. El edificio central de administración se encuentra frente a la entrada del campus y sirve de puerta de acceso al recinto. Otro volumen, revestido con piedra, cristal y metal corrugado, es a la vez punto focal y lugar de encuentro y reunión para los estudiantes.

Ce bâtiment, situé sur le campus de la Shanghai American School, est un des trois nouveaux bâtiments de l'école dont Wood + Zapata a la charge. Le bâtiment d'administration centrale se trouve face à l'entrée du campus en guise de porte générale de l'enceinte. La pierre, le verre et le métal viennent revêtir le volume créé, qui sert autant de point focal que de lieu de rencontre et de réunion pour les étudiants.

Questo edificio, situato all'interno del campus della Shanghai American School, è una delle tre nuove costruzioni della scuola commissionate allo studio di architettura Wood + Zapata. L'edificio centrale, con uffici amministrativi, si trova di fronte all'entrata del campus e funge da porta principale all'intero recinto. È stato creato un volume, rivestito di pietra, vetro e metallo corrugato, che serve sia come punto focale che come luogo di ritrovo e riunione per gli studenti.

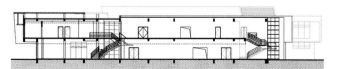

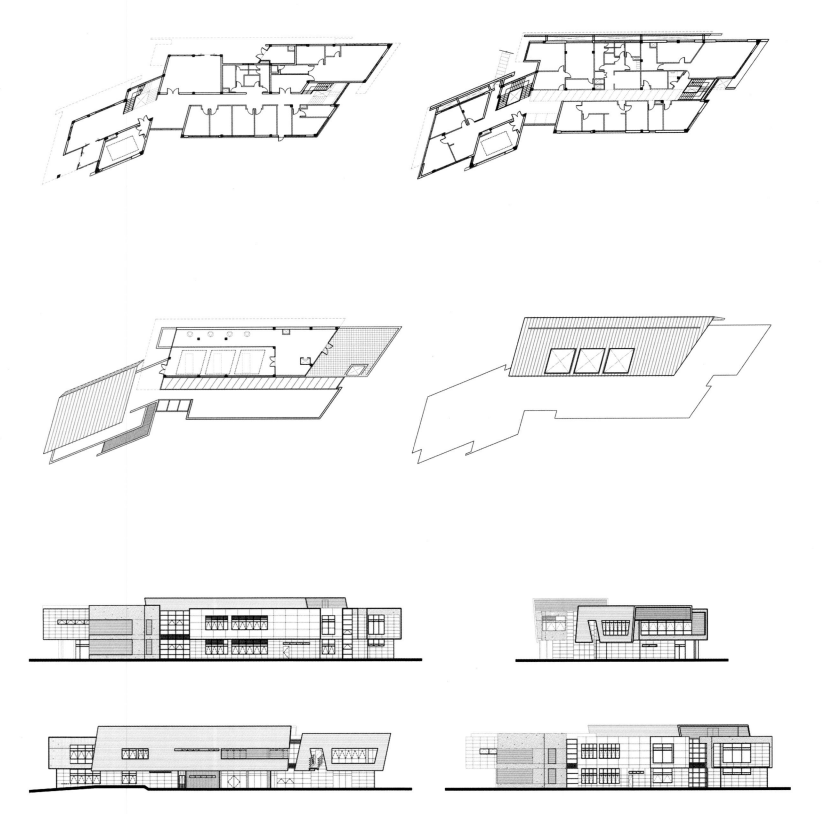

Wood + Zapata
Shanghai Star | 2007
1350 Zhong Shan Road West

Dieser Wohnkomplex unterteilt sich in zwei Wohnungstypen, kleine, von Gärten umgebene Häuser und vier Hochhäuser, die typische Formen in der Skyline von Shanghai zeichnen. Es sollte ein hochwertiger Wohnkomplex erster Klasse errichtet werden. Zwischen den verschiedenen Gebäuden wurden Seen und üppige Gärten angelegt, zu denen nur die Anwohner Zugang haben.

This residential complex is divided into two types of residences: small houses surrounded by gardens and four high tower blocks whose forms will stand out in the Shanghai skyline. The project aims to create a residential complex of the utmost quality and sophistication, with buildings interlaced by a lively network of lakes and gardens designed for the exclusive use of the inhabitants.

Este complejo residencial está dividido en dos tipologías de viviendas: unas casas de pequeña escala rodeadas de jardín y cuatro torres de gran altura cuyos volúmenes destacarán, sin duda, en el perfil urbano de Shanghai. El objetivo del proyecto es lograr un conjunto residencial de gran calidad y alto nivel. Los edificios estarán rodeados por una red de lagos y jardines exuberantes, accesibles sólo para los residentes del complejo.

Ce complexe résidentiel est divisé en deux typologies de logements, des maisons à petite échelle entourées de jardins et quatre tours très hautes, dont les volumes se détacheront dans le profil urbain de Shanghai. L'objectif de ce projet est de réaliser un ensemble résidentiel de grande qualité et de haut niveau. L'ensemble des bâtiments se trouve au milieu d'un réseau de lacs et de jardins exubérants, dont l'accès est réservé aux résidents du complexe.

Questo complesso residenziale è diviso in due tipologie di abitazioni: case di piccola scala, circondate da giardino e quattro torri di gran altezza, i cui volumi non passeranno inosservati nel profilo urbano di Shanghai. Come obiettivo, il progetto si prefigge di ottenere un complesso residenziale di grande qualità ed alto standing. Gli edifici si trovano immersi in una rete di laghi e rigogliosi giardini, il cui accesso è riservato soltanto ai residenti.

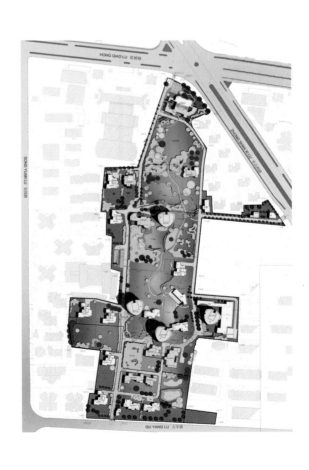

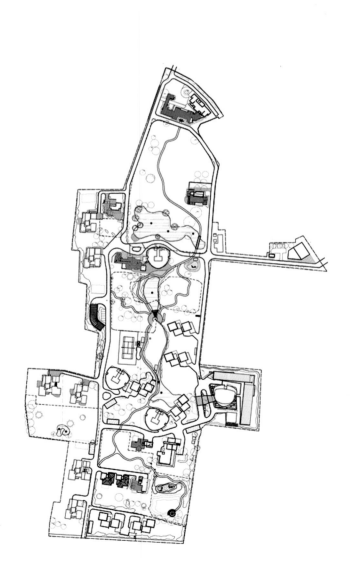

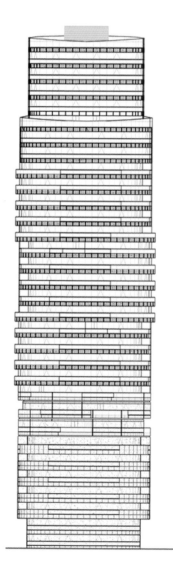

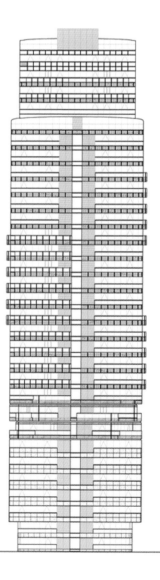

Wood + Zapata
Xintiandi | 2000
MaDang Road, TaiCang Road, Longtang

Dieses Bauprojekt umfasste die Restaurierung, Renovierung und den Neubau von zwei Häuserblöcken im historischen Viertel Longtang oder Concesión Francesa in Shanghai, das zu einem Geschäfts- und Wohnbezirk werden sollte. Neue und alte Architektur sollten miteinander kombiniert werden, um diesem Bezirk sowohl tagsüber als auch nachts Leben einzuflößen. Das Viertel entwickelte schon sehr bald seinen eigenen Charakter. Hier treffen Tradition, Design und moderne Technologie aufeinander.

This project involved the restoration, renovation and reconstruction of two blocks in the historic neighborhood of Longtang (or Shanghai's French Concession) in order to turn them into a commercial and residential area. The aim was to combine old and new architecture and inject new life into the zone both by day and by night. Longtang quickly grew into a distinctive neighborhood combining tradition, design and the latest technology.

El proyecto prevé la restauración, renovación y nueva construcción de dos manzanas en el histórico barrio de Longtang, conocido también como Concesión Francesa de Shanghai, con el fin de convertirlas en un distrito comercial y residencial. El objetivo ha sido combinar antigua y nueva arquitectura para revitalizar la zona tanto de día como de noche. El área se ha convertido rápidamente en un lugar característico donde la tradición convive con el diseño y las últimas tecnologías.

Le projet comprend la restauration, la rénovation et la nouvelle construction de deux pâtés de maisons dans le vieux quartier historique de Longtang ou Concession française de Shanghai, pour les transformer en zone commerciale et résidentielle. L'objectif fixé était d'associer architecture ancienne et moderne pour ranimer le secteur aussi bien de jour que de nuit. La zone est rapidement devenue un secteur caractéristique où se côtoient tradition, design et dernières technologies.

Il progetto include la ristrutturazione, il rinnovamento nonché la parziale nuova costruzione di due isolati nello storico quartiere di Longtang, o concessione francese di Shanghai, al fine di trasformali in un distretto commerciale e residenziale. L'obiettivo è stato quello di combinare elementi architettonici vecchi e nuovi per riattivare la vita sia diurna che notturna del quartiere. Quest'ultimo si è convertito rapidamente in una zona caratteristica dove convivono tradizione, design e le più recenti tecnologie.

Alan Chan Design Company
1901 Harcourt House, 39 Gloucester Road Wanchai,
Hong Kong, China
T: +86 852 2527 8228
F: +86 852 2865 6170
acdesign@alanchandesign.com
www.alanchandesign.com
Whampoa Club - Photos: © Nacása & Partners

Architrave Design & Planning
24aA Cheong Chin Nam Road, Singapore 599747,
Singapore
T: +65 62 130 150
Banyan Tree Spa - Photos: © Nacása & Partners

Arte Charpentier et Associés
8, rue du Sentier, Paris 75002, France
P: +33 1 55 04 13 00
F: +33 1 55 04 13 13
contact@arte-charpentier.com
www.arte-charpentier.com
Shanghai Opera House - Photos: © Didier Boy de la Tour

Bregman + Hamann Architects
481 University Avenue, Suite 300, Toronto,
Ontario M5G 2H4, Canada
T: +1 416 596 2299
F: +1 416 586 0599
www.bharchitects.com
CAAC Pudong Tower - Photos: © Mr. Kerun Ip
Hong Kong New World Center - Photos: © Mr. Kerun Ip
New Shanghai International Tower - Photos: © Mr. Kerun Ip
Top of City Lights Shanghai - Photos: © Mr. Kerun Ip

Callison Architecture
1420 Fifth Avenue, 2400, Seattle,
Washington 98101-2343, USA
T: +1 206 623 4646
F: +1 206 623 4625
www.callison.com
Bank of China Regional Headquarters - Photos: © Chris Eden
Grand Gateway - Photos: © Chris Eden
Nanjing Road East - Photos: © Chris Eden

CL3 Architects
7/F Hong Kong Arts Centre, 2 Harbour Road,
Wanchai, Hong Kong, China
T: +86 852 2527 1931
F: +86 852 2529 8392
cl3@cl3.com
www.cl3.com
Evian Spa - Photos: © Nacása & Partners

Foster and Partners
Riverside Three, 22 Hester Road, London SW11 4AN, UK
T: +44 20 7738 0455
F: +44 20 7738 1107
www.fosterandpartners.com
Jiushi Corporation Headquarters - Photos: © Kerun Ip

François Marcireau
25, rue le Peletier, Paris 75009, France
T: +33 6 15 79 60 03
francois.marcireau@wanadoo.fr
La Fabrique - Photos: © Nacása & Partners

HMA Architects & Designers
Unit 2103 / 2104, 8 Jianguo Road Central,
Shanghai 200025, China
T: +86 21 5466 9966
F: +86 21 6415 2059
hma@if.tv
www.hma.if.tv
The Bridge 8 - Photos: © Nacása & Partners

Infix Design
2205 Block 2 "Bridge 8" No. 8-10 Jianguo Central Road,
Shanghai 200025, China
T: +86 21 6415 2002
F: +86 21 6415 2003
noji@infix-sh.com
ARK - Photos: © Nacása & Partners

Intentionallies
3F One-Eighth Building 2-18-15, Jingumae, Shibuya-Ku,
Tokyo 150-0001, Japan
T: +81 3 5786 1084
F: +81 3 5786 1453
post@intentionallies.co.jp
www.intentionallies.co.jp
Wa!! - Photos: © Nacása & Partners

John Portman & Associates
303 Peachtree Street NE Suite 4600, Atlanta, GA 30308, USA
T: +1 404 614 5555
F: +1 404 614 5553
www.portmanusa.com
Bund Center - Photos: © Michael Portman, Weiping Dai, Mr. Gu
Tomorrow Square - Photos: © Michael Portman, Courtesy of JW
Marriott Hotel Shanghai

K plus K
7/F Hilltop Plaza 49, Hollywood Road Central,
Hong Kong, China
T: +86 852 2541 6828
F: +86 852 2541 7885
kplusk@netvigator.com
www.kplusk.net
Vidal Sassoon Academy - Photos: © Greg Girard

Kohn Pendersen Fox Associates
111 West 57th Street, New York, NY 10019, USA
P: +1 212 977 6500
F: +1 212 956 2526
info@kpf.com
www.kpf.com
Plaza 66 - Images: © Kohn Pendersen Fox Associates
Shanghai World Financial Center - Images: © Kohn Pendersen Fox
Associates
Wheelock Square - Images: © Kohn Pendersen Fox Associates

Lan Kwai Fong Group
2 Gao Lan Road, Fuxing Park, Shanghai 200020, China
T: +86 21 5383 2208
F: +86 21 6387 4716
www.lankwaifong.com
California Club - Photos: © Nacása & Partners

Loretta Hui-shan Yang
TMSK - Photos: © Nacása & Partners

Michael Graves & Associates
341 Nassau St. Princeton, NJ 08540, USA
T: + 1 609 924 6409
F: + 1 609 924 1795
www.michaelgraves.com
Laris - Photos: © Nacása & Partners

Murphy / Jahn
35 East Wacker Drive, Chicago, ILL 60601, USA
T: + 1 312 427 7300
F: + 1 312 332 0274
info@murphyjahn.com
www.murphyjahn.com
Shanghai International Expo Center - Photos: © Doug Snower,
Miuzhijang Yangqitao, Chen Bairong

Sergio Young / Global Creative Works
Shintori - Photos: © Nacása & Partners

Skidmore, Owings & Merrill
14 Wall Street, 24th Floor, New York, NY 10005, USA
P: + 1 212 298 9300
F: + 1 212 298 9500
somnewyork@som.com
www.som.com
Jin Mao Tower - Images: © Skidmore, Owings & Merrill

Tilke
Krefelder Straße 147, Aachen 52070, Germany
T: +49 241 91 34-0
F: +49 241 91 34-400
mailbox@tilke.de
www.tilke.com
Shanghai International Circuit - Photos: © Jörg Hempel

Urban Design System
2F, 1305 South Suzhou Road, Shanghai 200003, China
T: +86 21 6327 2561
F: +86 21 6327 2560
www.uds-net.co.jp
Suzhou River Warehouse - Photos: © Nacása & Partners

Wood + Zapata
Unit 32, Building 28, Xintiandi, Madang Road 119,
Shanghai 200021, China
T: +86 21 2966 9292
F: +86 21 2966 9242
www.wood-zapata.com
DR Bar - Photos: © Nacása & Partners
Shanghai American School - Photos: © Nacása & Partners
Shanghai Star - Images: © Wood + Zapata
Xintiandi - Photos: © Nacása & Partners

copyright © 2005 daab gmbh
cologne london new york

published and distributed worldwide by
daab gmbh
friesenstr. 50
d - 50670 köln

p +49-221-94 10 740
f +49-221-94 10 741

mail@daab-online.de
www.daab-online.de

publisher ralf daab
rdaab@daab-online.de

art director feyyaz
mail@feyyaz.com
page 118 - 121 Das F - Prinzip
copyright © 2005 feyyaz

editorial project by loft publications
copyright © 2005 loft publications

editor Alejandro Bahamón
research Martin Rolshoven
layout Ignasi Gracia Blanco
english translation Matthew Clarke
french translation Jean Pierre Layre Cassou
italian translation Maurizio Siliato
german translation Susanne Engler
copy editing Alessandro Orsi

printed in spain
Anman Gràfiques del Vallès, Spain
www.anman.com

isbn: 3-9 37718-2 2-2
d.l.: B-